MAIGRET
ET LE CLIENT
DU SAMEDI

OUVRAGES DE GEORGES SIMENON

AUX PRESSES DE LA CITÉ

COLLECTION MAIGRET

ROMANS

MÉMOIRES

Georges SIMENON

MAIGRET ET LE CLIENT DU SAMEDI

roman

PRESSES DE LA CITÉ

PARIS

CHAPITRE

1

CERTAINES IMAGES,
sans raison, sans que nous y soyons pour rien, se
raccrochent à nous, restent obstinément dans
notre souvenir alors que nous sommes à peine
conscient de les avoir enregistrées et qu'elles ne
correspondent à rien d'important. Ainsi, sans
doute, Maigret, des années plus tard, pourrait-
il reconstituer minute par minute, geste par
geste, cette fin d'après-midi sans histoire du
Quai des Orfèvres.

D'abord la pendule de marbre noir, aux orne-
ments de bronze, sur laquelle son regard s'était
posé alors qu'elle marquait six heures dix-huit,
ce qui signifiait qu'il était un peu plus de six heures
et demie. Dans dix autres bureaux de la P.J., chez
le grand patron comme chez les autres divisionnaires, des pendules identiques étaient flanquées

de leurs candélabres et, depuis des temps immémo-
riaux, elles retardaient aussi.

Pourquoi cette pensée le frappait-il aujour-
d'hui et pas les autres jours? Un instant, il se
demanda dans combien d'administrations, de mi-
nistères, un certain F. Ledent, dont la signature,
en belle anglaise, figurait sur le cadran blême,
avait fourni jadis un lot de ces pendules et il rêva
aux tractations, aux intrigues, aux pots-de-vin
qui avaient précédé un si important marché.

F. Ledent était mort depuis un demi-siècle,
peut-être un siècle, à en juger par le style de ses
pendules.

La lampe à abat-jour vert était allumée, car
on était en janvier. Dans le reste de la maison
aussi les lampes étaient pareilles.

Lucas, debout, glissait dans une chemise jaunâtre les documents que Maigret venait de lui
passer l'un après l'autre.

— Je laisse Janvier au Crillon?

— Pas trop tard. Envoie-lui quelqu'un ce soir
pour le relayer.

Il venait d'y avoir, coup sur coup, comme toujours, une série de vols de bijoux dans les palaces des Champs-Elysées et on avait établi dans
chacun une surveillance discrète.

Maigret, machinalement, pressait un timbre
électrique. Le vieux Joseph, l'appariteur à chaîne
d'argent, ne tardait pas à ouvrir la porte.

— Plus personne pour moi? demandait le commissaire.

— A part la folle...

Ce n'était pas important. Il y avait des mois qu'elle pénétrait deux ou trois fois la semaine au Quai des Orfèvres, se glissait sans mot dire dans la salle d'attente où elle se mettait à tricoter. Elle ne s'était jamais fait annoncer. Le premier jour, Joseph lui avait demandé qui elle désirait voir.

Elle lui avait souri d'un air malicieux, presque espiègle, et avait répondu :

— Le commissaire Maigret m'appellera quand il aura besoin de moi...

Joseph lui avait tendu une fiche. Elle l'avait remplie d'une écriture régulière qui sentait le couvent. Elle s'appelait Clémentine Pholien et habitait rue Lamark.

~Cette fois-là, le commissaire l'avait fait recevoir par Janvier.

— On vous a convoquée?

— Le commissaire Maigret est au courant.

— Il vous a envoyé une convocation?

Elle souriait, menue, gracieuse malgré son âge.

— Il n'y a pas besoin de convocation.

— Vous avez quelque chose à lui dire?

— Peut-être.

— Il est très occupé en ce moment.

— Cela ne fait rien. J'attendrai.

Elle avait attendu jusqu'à sept heures du soir et elle était partie. On l'avait revue quelques jours plus tard, avec le même chapeau mauve, le même tricot, et elle avait pris place, en habituée, dans la salle d'attente vitrée.

On s'était renseigné à tout hasard. Elle avait
tenu longtemps une mercerie à Montmartre et
elle touchait une rente confortable. Ses neveux
et nièces avaient essayé plusieurs fois de la faire
interner mais, à chaque fois, on l'avait renvoyée
de l'hôpital psychiatrique en déclarant qu'elle
n'était pas dangereuse.

Où avait-elle pêché le nom de Maigret? Elle
ne le connaissait pas de vue, car il était passé
plusieurs fois devant la cage vitrée alors qu'elle
s'y trouvait et elle ne l'avait pas reconnu.

— Eh bien! mon vieux Lucas, on ferme!

On fermait de bonne heure, surtout pour un samedi. Le commissaire bourrait une pipe, allait
chercher son manteau, son chapeau et son
écharpe dans le placard.

Il passait devant la cage vitrée en détournant
la tête par précaution et, dans la cour, retrouvait le brouillard un peu jaune qui s'était abattu
sur Paris dans l'après-midi.

Rien ne le pressait. Le col du pardessus relevé,
les mains dans les poches, il contournait le Palais de Justice, passait sous la grosse horloge,
traversait le Pont-au-Change. Alors qu'il at-
teignait le milieu du pont, il eut la sensation que
quelqu'un le suivait et se retourna vivement. Les
passants étaient nombreux dans les deux sens.
Presque tous, à cause du froid, marchaient vite.
Il fut presque sûr qu'un homme vêtu de sombre,
à une dizaine de mètres de lui, faisait soudain
demi-tour.

Il n'y attacha pas d'importance. Ce n'était d'ailleurs qu'une impression.

Quelques minutes plus tard, il attendait son autobus place du Chatelet, trouvait de la place sur la plate-forme où il pouvait continuer à fumer sa pipe. Est-ce que celle-ci avait réellement un goût particulier? Il l'aurait juré. Peut-être à cause du brouillard, d'une certaine qualité de l'air. Un goût fort agréable.

Il ne pensait à rien de précis, rêvassait en regardant vaguement les têtes dodelinantes de ses voisins.

Puis c'était à nouveau le trottoir, le boulevard Richard-Lenoir presque désert, les lumières, qu'il reconnaissait de loin, de son appartement. Il s'engageait dans l'escalier familier, distinguait des traits plus clairs sous les portes, entendait des voix assourdies, des ritournelles de radio.

La porte s'ouvrait, comme d'habitude, avant qu'il en eût touché le bouton et Mme Maigret, à contre-jour, mettait mystérieusement un doigt sur ses lèvres.

Il la regardait, interrogateur, essayait de voir derrière elle.

— Il y a quelqu'un..., chuchotait-elle.

— Qui?

— Je ne sais pas... Il est bizarre...

— Qu'est-ce qu'il t'a dit?

— Qu'il avait absolument besoin de te parler...

— Comment est-il?

— Je ne pourrais pas le dire, mais son haleine
sent l'alcool...

Il y avait de la quiche lorraine à dîner, il le savait par l'odeur qui émanait de la cuisine.

— Où est-il?

— Je l'ai fait entrer au salon...

Elle le débarrassait de son pardessus, de
son chapeau, de son écharpe. Il lui sembla que
l'appartement était moins éclairé que d'habitude,
mais ce n'était évidemment qu'une impression.
Haussant les épaules, il poussa la porte du salon
où, depuis un peu plus d'un mois, un poste de
télévision tenait une place importante.

L'homme, dans un coin, était resté debout, en
manteau, son chapeau à la main. Il paraissait
impressionné et il osait à peine regarder le commissaire.

— Je vous demande pardon de vous avoir pour-
suivi jusque chez vous..., balbutiait-il.

Maigret avait tout de suite remarqué son bec-
de-lièvre et il n'était pas fâché de se trouver enfin face à face avec le personnage.

— Vous êtes venu au Quai des Orfèvres pour
me voir, n'est-ce pas?

— Plusieurs fois, oui...

— Vous vous appelez... Attendez... Planchon...

— Léonard Planchon, c'est bien ça...

Et il répétait, de plus en plus humble :

— Je vous demande pardon...

Son regard faisait le tour du petit salon, s'arrêtait sur la porte restée entrouverte, comme s'il avait envie de s'enfuir une fois de plus. Combien de fois lui était-il arrivé de s'en aller ainsi sans avoir rencontré le commissaire?

Cinq fois au moins. Toujours le samedi après-midi. De sorte qu'on avait fini par l'appeler le client du samedi.

Cela ressemblait à l'histoire de la folle, avec des variantes. La P.J., comme les journaux, attire toutes sortes de gens au comportement plus ou moins bizarre et il en est qu'on finit par connaître, des visages deviennent familiers.

— Je vous ai d'abord écrit..., murmurait-il.

— Asseyez-vous.

Par la porte vitrée, on voyait la table mise dans la salle à manger et l'homme jetait un coup d'œil de ce côté.

— C'est l'heure de votre dîner, n'est-ce pas?

— Asseyez-vous, répétait le commissaire avec un soupir.

Pour une fois qu'il rentrait chez lui de bonne heure, son repas n'en allait pas moins être retardé. Tant pis pour la quiche! Et tant pis pour le journal télévisé! Depuis quelques semaines, ils avaient pris l'habitude, sa femme et lui, de regarder la télévision en mangeant, ce qui avait changé leurs places à table.

— Vous dites que vous m'avez écrit?

— Au moins dix lettres.

— Signées de votre nom?

— Les premières n'étaient pas signées... Je

les ai déchirées... J'ai déchiré les autres aussi...
C'est alors que j'ai décidé d'aller vous voir...

Maigret reconnaissait, lui aussi, l'odeur d'alcool, mais son interlocuteur n'était pas ivre. Nerveux, certes. Ses doigts entrecroisés se serraient
au point que les phalanges en devenaient
livides. Il ne s'enhardissait que petit à petit à
poser son regard sur le commissaire et ce regard
était presque suppliant.

Quel âge avait-il? C'était difficile à dire. Il
n'était ni jeune ni vieux, donnait l'impression de
n'avoir jamais été jeune. Trente-cinq ans?

Ce n'était pas facile non plus de déterminer à
quelle catégorie sociale il appartenait. Ses vêtements étaient mal coupés, mais de bonne qualité,
ses mains, très propres, celles d'un travailleur
manuel.

— Pourquoi avez-vous déchiré ces lettres?

— J'ai craint que vous me preniez pour un
fou...

Et, levant les yeux, il ajoutait avec le besoin
de convaincre :

— Je ne suis pas fou, monsieur le commissaire... Je vous supplie de croire que je ne suis
pas fou...

C'est généralement mauvais signe et pourtant
Maigret était déjà à moitié convaincu. Il entendait sa femme aller et venir dans la cuisine. Elle
avait dû retirer la quiche du four, la quiche qui,
de toute façon, maintenant, serait ratée.

— Donc, vous m'avez écrit plusieurs lettres...

Ensuite, vous vous êtes présenté au Quai des Orfèvres... Un samedi, si je ne me trompe?...

— C'est le seul jour où je sois libre...

— Qu'est-ce que vous faites dans la vie, monsieur Planchon?

— Je suis entrepreneur de peinture... Oh! bien modeste... A la bonne saison, il m'arrive d'employer cinq ou six ouvriers... Vous voyez!...

A cause du bec-de-lièvre, il était difficile de savoir s'il souriait timidement ou s'il faisait une grimace. Ses yeux étaient d'un bleu très clair, ses cheveux blonds tiraient sur le roux.

— Cette première visite date d'environ deux mois... Vous avez écrit sur la fiche que vous désiriez me voir personnellement... Pourquoi?

— Parce que je n'ai confiance qu'en vous... J'ai lu dans les journaux...

— Bon! Ce samedi-là, au lieu d'attendre, vous êtes parti après une dizaine de minutes...

— J'ai eu peur...

— De quoi?

— Je me suis dit que vous ne me prendriez pas au sérieux... Ou alors que vous m'empêcheriez de faire ce que j'avais en tête.

— Vous êtes revenu le samedi suivant...

— Oui...

Maigret était en conférence, ce jour-là, avec le grand patron et deux autres divisionnaires. Quand il en était sorti, une heure plus tard, la salle d'attente était vide.

— Vous aviez toujours peur?

— Je ne savais plus...

— Qu'est-ce que vous ne saviez plus?

— Si j'avais encore envie d'aller jusqu'au bout...

Il se passait la main sur le front.

— C'est tellement compliqué!... Voyez-vous, il y a des moments où je perds pied...

Une autre fois, Maigret lui avait envoyé Lucas. L'homme avait refusé de lui confier l'objet de sa visite, affirmant que c'était personnel, et il s'était littéralement enfui.

— Qui vous a donné mon adresse?

— Je vous ai suivi... Samedi dernier, j'ai failli vous aborder dans la rue, puis j'ai décidé que ce n'était pas un endroit propice pour une conversation comme celle que je voulais avoir avec vous... Dans votre bureau non plus... Peut-être que vous allez comprendre...

— Comment saviez-vous, ce soir, que j'allais rentrer?

Et soudain Maigret se rappelait sa sensation du Pont-au-Change.

— Vous étiez caché sur le quai, n'est-ce pas?

Planchon faisait oui de la tête.

— Vous m'avez suivi jusqu'à l'autobus?

— C'est ça... Alors, j'ai pris un taxi et je suis arrivé ici quelques minutes avant vous...

— Vous avez des ennuis, monsieur Planchon?

— Pis que des ennuis.

— Combien avez-vous bu de verres avant de venir?

— Deux... Peut-être trois?... Avant, je ne buvais pas, à peine un verre de vin aux repas...

— Et maintenant?

— Cela dépend des jours... Ou plutôt des soirs, car je ne bois pas pendant la journée... Si, tout à l'heure, j'ai avalé trois cognacs, c'était pour me donner du courage... Vous m'en voulez?

Maigret fumait lentement sa pipe, sans quitter son interlocuteur des yeux, essayant de se faire une opinion. Il n'y était pas encore parvenu. Il devinait, chez Planchon, un côté pathétique qui le déroutait. On avait l'impression d'une passion contenue, d'une détresse écrasante en même temps que d'une extraordinaire patience.

Cet homme-là, il en aurait mis la main au feu, avait peu de contacts avec ses semblables et, chez lui, tout se passait à l'intérieur. Depuis deux mois, il était tourmenté par le besoin de parler. Il avait tenté, samedi après samedi, de se présenter devant le commissaire, et, chaque fois, il s'était dérobé au dernier moment.

— Si vous me racontiez tout bonnement votre histoire?

Nouveau coup d'œil à la salle à manger, où les deux couverts faisaient face à la télévision.

— J'ai honte de retarder votre repas... Ce sera long... Votre femme va m'en vouloir... Ecoutez!... Si vous le permettez, je vais attendre ici que vous ayez mangé... Ou bien je reviendrai tout à l'heure... C'est ça! Je reviendrai tout à l'heure...

Il faisait mine de se lever et le commissaire l'obligeait à rester à sa place.

— Non, monsieur Planchon !... Cette fois, vous y êtes, n'est-ce pas ?... Dites-moi ce qui vous trouble... Dites-moi, face à face, ce que vous m'écriviez dans toutes ces lettres que vous avez déchirées...

Alors, soudain, fixant le tapis à ramages rouges, l'homme balbutiait :

— Je veux tuer ma femme...

Tout de suite, son regard se levait vers le visage du commissaire qui, non sans peine, était parvenu à ne pas broncher.

— Vous avez l'intention de tuer votre femme ?

— Il le faut !... Il n'y a plus d'autre issue... Je ne sais comment vous expliquer... Tous les soirs, je me dis que cela arrivera, qu'il est impossible que cela n'arrive pas un jour ou l'autre... Alors, j'ai pensé que, si je vous mettais au courant...

Tirant un mouchoir de sa poche, il essuyait les verres de ses lunettes, cherchant ses mots, et Maigret remarqua qu'un bouton du veston pendait au bout du fil.

Malgré son émotion, Planchon surprit ce bref coup d'œil et eut un sourire ou une grimace.

— Oui... Ça aussi..., dit-il du bout des lèvres. Elle ne fait même plus semblant...

— Semblant de quoi ?

— De me soigner... D'être ma femme...

Regrettait-il d'être venu ? Il s'agitait sur sa

chaise, regardait parfois la porte comme s'il allait tout à coup se précipiter dehors.

— Je me demande si je n'ai pas eu tort... Et pourtant vous êtes le seul homme au monde en qui j'aie confiance... Il me semble que je vous connais depuis longtemps... Je suis presque sûr que vous comprendrez...

— Vous êtes jaloux, monsieur Planchon?

Les deux regards se rencontrèrent, bien en face. Maigret crut lire une entière franchise dans celui de son vis-à-vis.

— Je crois que je ne le suis plus... Je l'ai été... Non! Maintenant, c'est dépassé...

— Et vous voulez la tuer quand même?

— Parce qu'il n'existe pas d'autre solution... Alors, je me suis dit que si je vous prévenais, par une lettre ou de vive-voix... D'abord, c'était plus honnête... Ensuite, peut-être que, par le fait, je changerais d'idée... Vous comprenez?... Non! C'est impossible à comprendre si on ne connaît pas Renée... Excusez-moi si je m'embrouille... Renée, c'est ma femme... Ma fille, elle, se nomme Isabelle... Elle a sept ans... C'est tout ce qui me reste au monde... Vous n'avez pas d'enfant, n'est-ce pas?...

Il regardait à nouveau autour de lui comme pour s'assurer qu'il ne traînait pas de jouets, de ces mille riens qui révèlent la présence d'un enfant dans la maison.

— Ils veulent me la prendre aussi... Ils font tout pour ça... Ils ne s'en cachent pas... Je vou-

drais que vous puissiez voir comme ils me trai-
tent... Vous pensez que j'ai le cerveau dé-
réglé?

— Non.

— Remarquez que cela vaudrait mieux... On
m'enfermerait tout de suite... Comme on m'en-
fermera si je tue ma femme... Ou si je le tue,
lui... Pour bien faire, je devrais les tuer tous les
deux... Dans ce cas, moi en prison, qui s'occu-
pera d'Isabelle?... Vous voyez le problème?...

» J'ai envisagé des plans compliqués... J'en
ai trouvé au moins dix, que je mettais chaque
fois minutieusement au point... Il s'agissait de
ne pas me faire prendre... On aurait pensé
qu'ils étaient partis tous les deux... J'ai lu
dans un journal que des milliers de femmes dis-
paraissent chaque année, à Paris, et que la police ne se donne pas la peine de les rechercher...
A plus forte raison, s'il avait disparu en même
temps qu'elle...

» Tenez! J'ai même décidé, à certain moment, de l'endroit où je cacherais les corps...
Je travaillais dans un chantier, tout au-dessus
de Montmartre... On y coule du béton... Je les
aurais transportés la nuit, dans ma camionnette,
et on ne les aurait jamais retrouvés... »

Il s'excitait, parlait maintenant avec une certaine volubilité, sans cesser d'épier les réactions
du commissaire.

— Est-ce que c'est déjà arrivé que quelqu'un

vienne vous dire son intention de tuer sa femme
ou n'importe qui d'autre?

Tout cela était si inattendu que Maigret se
surprenait à chercher dans sa mémoire.

— Pas de cette façon... finissait-il par admettre.

— Vous pensez que je mens, que j'invente
une histoire pour me rendre intéressant?

— Non.

— Vous croyez que j'ai vraiment envie de
tuer ma femme?

— Vous en avez sûrement eu l'intention.

— Et que je le ferai?

— Non.

— Pourquoi.

— Parce que vous êtes venu me trouver.

Planchon se dressait, trop nerveux, trop
crispé pour rester assis. Il levait les bras vers le
plafond.

— Et voilà ce que je me dis aussi!... san-
glota-t-il presque. C'est la raison pour laquelle,
chaque fois, je suis parti avant d'être reçu...
C'est aussi la raison pour laquelle j'avais besoin
de vous parler... Je ne suis pas un criminel... Je
suis un honnête homme... Et pourtant...

Maigret se leva à son tour, alla chercher le carafon de prunelle dans l'armoire et en servit un
verre à son visiteur.

— Vous n'en prenez pas? murmura celui-ci,
honteux.

Puis, regardant la salle à manger :

— Il est vrai que vous n'avez pas dîné... Et
moi je parle à vide... Je voudrais tout vous expliquer d'un coup et je ne sais par où commencer...

— Préférez-vous que je vous pose des questions?

— Peut-être cela sera-t-il plus facile...

— Asseyez-vous.

— Je vais essayer...

— Depuis combien de temps êtes-vous marié?

— Huit ans...

— Vous viviez seul?

— Oui... J'ai toujours été seul... Depuis que
ma mère est morte, quand j'avais quinze ans...
Nous habitions rue Picpus, pas loin d'ici... Elle
faisait des ménages...

— Votre père?

— Je ne l'ai pas connu...

Il avait rougi.

— Vous êtes entré en apprentissage?

— Oui... Je suis devenu ouvrier peintre...
J'avais vingt-six ans quand mon patron, qui habitait rue Tholozé, a appris qu'il avait une ma-
ladie de cœur et a décidé de se retirer à la campagne...

— Vous avez repris l'affaire?

— J'avais des économies... Je ne dépensais
presque rien... J'ai quand même mis six ans à
payer le fonds...

— Où avez-vous rencontré votre femme?

— Vous connaissez la rue Tholozé, qui donne

dans la rue Lepic, juste en face du Moulin de la Galette? C'est une rue sans issue, qui se termine par un escalier de quelques marches... J'habite au pied de cet escalier, un pavillon dans une cour, ce qui est pratique pour les échelles et le matériel...

Il s'apprivoisait. Son débit devenait plus régulier, monotone.

— Vers le milieu de la rue, à gauche en montant, il existe un bal musette, le Bal des Copains, où j'allais parfois passer une heure ou deux le samedi soir...

— Vous dansiez?

— Non. Je m'asseyais dans un coin, commandais une limonade, car je ne buvais pas encore, j'écoutais la musique et je regardais les couples...

— Vous aviez des petites amies?

Il répondait pudiquement :

— Non...

— Pourquoi?

Il levait la main vers sa lèvre.

— Je ne suis pas beau... Les femmes m'ont toujours impressionné... Il me semble que mon infirmité doit leur inspirer du dégoût...

— Vous en avez donc rencontré une qui s'appelait Renée...

— Oui... Il y avait beaucoup de monde, ce soir-là... On nous a mis à la même table... Je n'osais pas lui adresser la parole... Elle était

aussi intimidée que moi... On sentait qu'elle
n'avait pas l'habitude...

— Des bals?

— Des bals, de tout, de Paris... Elle a fini
par me parler et j'ai appris qu'il n'y avait pas
un mois qu'elle était arrivée en ville... Je lui ai
demandé d'où elle était... Elle venait de Saint-
Sauveur, près de Fontenay-le-Comte, en Vendée, qui est justement le village de ma mère...
Quand j'étais enfant, j'y suis allé plusieurs fois
avec elle pour voir des tantes et des oncles...
C'est ce qui a facilité les choses... Nous citions
des noms que nous connaissions tous les deux...

— Que faisait Renée à Paris?

— Elle travaillait comme bonne à tout faire
chez une crémière de la rue Lepic...

— Elle était plus jeune que vous?

— J'ai trente-six ans et elle en a vingt-sept...
Cela fait presque dix ans de différence... Elle
avait à peine dix-huit ans à l'époque...

— Vous vous êtes mariés très vite?

— Cela a pris une dizaine de mois... Puis
nous avons eu un enfant, une petite fille, Isabelle... Pendant tout le temps que ma femme
était enceinte, j'avais très peur...

— De quoi?

Il montrait une fois de plus son bec-de-lièvre.

— On m'avait dit que c'est héréditaire...
Dieu soit loué, ma fille est normale... Elle ressemble à sa mère, sauf qu'elle a mes cheveux
blonds et mes yeux clairs...

— Votre femme est brune?

— Comme il y en a beaucoup en Vendée, à cause, paraît-il, des marins portugais qui venaient y pêcher...

— A présent, vous voulez la tuer?

— Je ne vois pas d'autre solution... Nous avons été heureux tous les trois... Renée n'était peut-être pas une bonne ménagère... Je ne veux rien dire de mal sur son compte... Elle a passé son enfance dans une ferme où on ne se préoccupait guère d'ordre et de propreté... Dans le marais, là-bas, on appelle ces fermes-là des cabanes et il arrive, l'hiver, que l'eau envahisse les pièces...

— Je connais...

— Vous y êtes allé?

— Oui.

— Il m'arrivait souvent de faire le ménage après journée... A cette époque-là, elle était folle de cinéma et, l'après-midi, elle confiait Isabelle à la concierge pour y aller...

Il parlait sans amertume.

— Je ne me plaignais pas. Je ne dois pas oublier qu'elle est la première femme à m'avoir regardé comme un homme normal... Vous comprenez ça aussi, n'est-ce pas?

Il n'osait plus se tourner vers la salle à manger.

— Et moi qui vous empêche de dîner! Qu'est-ce que votre femme va penser?...

— Continuez... Pendant combien d'années avez-vous été heureux?

— Attendez... Je n'ai jamais compté... Je ne sais même pas au juste quand tout a commencé... J'avais une bonne petite affaire... Je dépensais ce que je gagnais à aménager la maison, à la repeindre, à la moderniser, à installer une jolie cuisine... Si vous y venez... Mais vous ne viendrez pas!... Ou alors, cela voudra dire que...

Il étreignait à nouveau ses doigts couverts de poils roussâtres.

— Vous ne devez pas connaître le métier... A certaines saisons, on a beaucoup de travail et à d'autres presque pas... Il est difficile de garder les mêmes ouvriers... A part le vieux Jules, que nous appelons Pépère, et qui travaillait déjà pour mon ancien patron, j'en ai changé presque tous les ans...

— Jusqu'au jour...

— Jusqu'au jour où ce Roger Prou est entré dans la maison... C'est un bel homme, costaud, malin, qui connaît son affaire... Au début, j'étais enchanté d'avoir mis la main sur un compagnon comme lui car, sur le chantier, je pouvais m'y fier entièrement...

— Il a fait la cour à votre femme?

— Honnêtement, je ne le pense pas... Des femmes, il en avait autant qu'il en voulait, même, parfois, des clientes... Je ne peux rien dire, puisque, au début, je n'ai rien remarqué,

mais je suis presque sûr que c'est Renée qui a
commencé... Je la comprends un peu... Non seulement je suis défiguré, mais je ne suis pas le
genre d'homme avec qui une femme puisse
s'amuser...

— Que voulez-vous dire?

— Rien... Je ne suis pas très gai... Je ne sors
pas volontiers... Mon plaisir, le soir, c'est de
rester à la maison et, le dimanche, d'aller me
promener avec ma femme et ma fille... Pendant
des mois, je n'ai eu aucun soupçon... Quand
nous étions en chantier, il arrivait à Prou de
faire un saut rue Thozolé pour aller chercher du
matériel... Une fois que je suis rentré à l'im-
proviste — c'était il y a deux ans — j'ai trouvé
ma fille seule dans la cuisine... Je la revois encore... Elle était assise par terre... Je lui ai demandé :

« — Où est maman?

« Et elle a répondu, en me désignant la chambre à coucher :

« — Là !

« Elle n'avait alors que cinq ans. Ils ne
m'avaient pas entendu venir et je les ai trouvés
à moitié nus. Prou paraissait ennuyé. Quant à
ma femme, elle m'a regardé bien en face.

« Eh bien ! à présent, tu sais !... a-t-elle déclaré.

— Qu'est-ce que vous avez fait?

— Je suis parti... Je ne savais pas où j'allais, ni quelles étaient mes intentions. Je me

suis retrouvé accoudé à un zinc où je me suis
enivré pour la première fois de ma vie. Je pensais surtout à ma fille. Je me promettais d'aller
la reprendre. Je me répétais :

« — Elle est à toi !... Ils n'ont pas le droit de
la garder...

« Puis, après avoir erré une partie de la nuit,
je suis rentré chez moi. J'ai été très malade. Ma
femme m'observait d'un œil dur et, quand j'ai
vomi sur la carpette, elle a grommelé :

« — Tu me dégoûtes...

« Voilà ! C'est ainsi que tout a commencé...
La veille, j'étais un homme heureux... Tout d'un
coup...

— Où est Roger Prou ?

— Rue Tholozé, balbutia Planchon en bais-
sant la tête.

— Depuis deux ans ?

— A peu près, oui...

— Il vit avec votre femme ?

— Nous vivons tous les trois...

Il essuyait à nouveau les verres de ses lunettes et ses paupières papillotaient.

— Cela vous paraît incroyable ?

— Non.

— Vous comprenez que j'aie été incapable de
la quitter ?

— De quitter votre femme ?

— Au début, c'était pour elle que je restais.
Maintenant, je ne sais plus. Je crois que c'est
seulement pour ma fille, mais peut-être que je

me trompe... Voyez-vous, il me semblait impossible de vivre sans Renée... A l'idée de me retrouver seul... Et je n'avais pas le droit de la mettre à la porte... C'était moi qui l'avais prise, qui l'avais suppliée de m'épouser... C'était moi le responsable, non?

Il reniflait, louchait vers le carafon. Maigret lui servait un second verre qu'il vidait d'un trait.

— Vous allez me prendre pour un ivrogne... Et c'est vrai que j'en suis presque devenu un... Le soir, ils n'ont pas envie de me voir à la maison... C'est tout juste s'ils ne me mettent pas à la porte... Vous ne pouvez pas savoir comme ils sont méchants avec moi...

— Prou s'est installé chez vous dès le jour où vous les avez surpris?

— Non... Pas tout de suite... Le lendemain matin, j'ai été surpris de le voir prendre son travail comme si de rien n'était... Je n'ai pas osé le questionner sur ses intentions... J'avais peur de la perdre, je vous l'ai dit... Je ne savais plus où était ma place... Je filais doux... Je suis sûr qu'ils ont continué à se voir et bientôt ils n'ont plus pris de précautions... C'était moi qui hésitais à rentrer, qui faisais du bruit pour avertir de ma présence...

« Un soir, il est resté à dîner... C'était le jour de sa fête et Renée avait préparé un repas soigné... Il y avait une bouteille de mousseux sur la table... Au dessert, ma femme m'a demandé :

« — Tu ne vas pas faire un tour? Tu ne comprends pas que tu nous gênes?...

« Et je suis parti... Je suis allé boire... Je me posais des questions... J'essayais d'y répondre... Je me racontais des histoires... Je ne pensais pas encore à les tuer, je vous le jure!... Dites-moi que vous me croyez, monsieur le commissaire... Dites-moi que vous ne me prenez pas pour un fou... Dites-moi que je ne suis pas un dégoûtant personnage, comme ma femme le prétend... »

La silhouette de Mme Maigret passait et repassait derrière la porte vitrée de la salle à manger et Planchon gémissait :

— Je vous empêche de dîner... Votre femme va être fâchée... Pourquoi n'allez-vous pas manger?

Il était trop tard, en tout cas, pour le journal télévisé.

CHAPITRE

2

Deux ou trois fois, Maigret avait été tenté de se pincer pour s'assurer que le personnage qui gesticulait devant lui était bien réel, que la scène était vraie, qu'ils étaient tous les deux dans la vie.

En apparence, c'était un homme banal, un de ces millions de laborieux, d'effacés, qu'on frôle chaque jour dans le métro, dans l'autobus, sur les trottoirs, allant avec pudeur et dignité vers Dieu sait quelle tâche et quel destin. Paradoxalement, son bec-de-lièvre le rendait plus impersonnel, comme si cette infirmité donnait à ceux qui en sont affectés la même physionomie.

Une seconde, le commissaire s'était demandé si Planchon n'avait pas choisi, à dessein par une ruse quasi-diabolique, de venir l'attendre boulevard Richard-Lenoir au lieu d'être reçu dans le bureau banal du Quai des Orfèvres. N'était-ce pas plutôt son intuition qui l'avait fait abandonner plusieurs fois la salle d'attente vitrée aux murs ornés des photographies de policiers morts en service commandé?

A la P.J. où il avait entendu des milliers de confessions, où il avait acculé tant de gens à des aveux déchirants, Maigret aurait vu son visiteur dans une sorte de lumière froide.

Ici, c'était chez lui, c'était son atmosphère familière, la présence, à côté, de Mme Maigret, l'odeur du dîner qui attendait, les meubles, les objets, les moindres reflets de lumière à leur place depuis des années et des années. La porte à peine franchie, tout cela l'enveloppait comme un vieux veston qu'on endosse en rentrant chez soi et il était si bien habitué au décor qu'il ressentait encore, après un mois, comme une présence étrangère, cet appareil de télévision placé en face de la porte vitrée de la salle à manger.

Serait-il capable, dans cette ambiance, de mener un interrogatoire aussi lucide et détaché que dans son bureau, un de ces interrogatoires qui duraient parfois des heures, parfois la nuit entière et qui le laissaient aussi épuisé que son interlocuteur?

Pour la première fois au cours de sa carrière, un homme venait le trouver, après avoir hésité des semaines durant, après l'avoir suivi dans la rue, après lui avoir écrit, prétendait-il, et avoir déchiré ses lettres, après avoir attendu des heures dans la salle d'attente; un homme qui n'avait rien d'exceptionnel dans sa mise ni dans son aspect s'était introduit chez lui, humble et obstiné tout ensemble, pour lui déclarer en substance :

— *Mon intention est de tuer deux personnes : ma femme et son amant. J'ai tout préparé dans ce but, envisagé les moindres détails pour ne pas me faire prendre...*

Or, au lieu de réagir avec scepticisme, Maigret l'écoutait avec une attention passionnée et ne perdait pas un de ses mouvements de physionomie. C'est à peine s'il regrettait encore l'émission de variétés qu'il s'était promis de regarder ce soir à la télévision, côte à côte avec sa femme, car ils étaient encore au stade des néophytes et tout ce qui passait sur le petit écran les fascinait.

Il y eut mieux : il faillit, au moment où l'homme désignait Mme Maigret allant et venant dans la salle à manger, lui proposer :

— Mangez donc un morceau avec nous...

Parce qu'il avait faim et qu'il sentait que ce serait encore long. Il avait besoin d'en savoir davantage, de poser des questions, de s'assurer qu'il ne se trompait pas.

Deux fois, trois fois, son interlocuteur lui avait demandé, rongé par l'angoisse :

— Vous ne me prenez pas pour un fou, dites?

Il avait pensé à cette hypothèse aussi. Il existe de nombreux degrés de folie, il le savait par ex-

périence, et l'ancienne mercière qui venait tricoter en souriant dans la salle d'attente en attendant qu'il ait besoin d'elle en était un exemple.

L'homme avait bu avant de se présenter. Il
avouait qu'il buvait chaque soir et, si le commissaire lui avait servi de l'alcool, c'est que l'autre
en avait besoin.

Les alcooliques s'enfoncent volontiers dans un
monde à eux, qui ressemble au monde véritable,
mais avec un certain décalage qu'il n'est pas
toujours facile de déceler. Et eux aussi sont sin-
cères.

Toutes ces idées lui étaient passées par la tête
pendant qu'il écoutait mais il n'était satisfait
d'aucune. Il cherchait à comprendre davantage,
à s'enfoncer dans l'univers ahurissant de Planchon.

— C'est ainsi que j'ai commencé à me sentir
de trop... disait celui-ci en le regardant toujours de ses yeux clairs. Je ne sais pas comment
vous expliquer. Je l'aimais. Je crois que je l'aime
encore. Oui, je suis à peu près sûr que je l'aime
encore et je continuerai de l'aimer, même si je
dois la tuer.

» En dehors de ma mère, c'est le seul être
qui se soit intéressé à moi sans se préoccuper de
mon infirmité...

» En outre, c'est ma femme... Quoi qu'elle
fasse, elle est ma femme, n'est-il pas vrai?...
Elle m'a donné Isabelle... Elle l'a portée dans

son ventre... Vous ne pouvez savoir quels mois j'ai vécus quand elle était enceinte... Il m'arrivait de me mettre à genoux devant elle en la remerciant de... Je ne trouve pas les mots... Il y avait de ma vie à moi dans sa vie, vous comprenez?... Et Isabelle est un peu de notre vie à tous les deux...

» Avant, j'étais seul... Personne ne s'occupait de moi, personne ne m'attendait le soir... Je travaillais sans savoir pourquoi...

» Elle avait pris un amant, tout à coup, et je pouvais à peine lui en vouloir... Elle est jeune... Elle est belle...

» Lui, Roger Prou, est plus vigoureux que moi... Il est comme un animal qui respire la force et la santé... »

Mme Maigret, résignée, avait regagné sa cuisine. Maigret bourrait lentement une nouvelle pipe.

— Je me suis dit des tas de choses... Je me disais surtout que cela ne durerait pas, qu'elle me reviendrait, qu'elle comprendrait que nous étions liés l'un à l'autre, quoi qu'elle fasse... Je vous ennuie?

— Non. Continuez.

— Je ne sais plus très bien ce que je dis... Je crois que, dans mes lettres, c'était plus clair... Et beaucoup moins long...

» Si je fréquentais encore l'église, comme du vivant de ma mère, je serais sans doute allé me confesser... Je ne me souviens plus comment j'ai

pensé à vous... Au début, je n'imaginais pas que
j'aurais le courage de venir vous trouver...

» Maintenant que je suis ici, je voudrais tout
dire à la fois... Je vous jure que, si je parle tant,
ce n'est pas parce que j'ai bu... J'avais préparé
chacune de mes phrases...

» Où est-ce que j'en étais? »

Ses yeux papillotaient et sa main jouait avec
un petit cendrier de cuivre qu'il avait saisi à son
insu sur un guéridon.

— Le soir de l'anniversaire de Prou, ils vous
ont mis à la porte...

— Pas tout à fait à la porte, car ils savaient
que je reviendrais... Ils m'ont envoyé promener
afin de passer la soirée en tête à tête...

— Vous espériez encore que ce ne serait qu'une
passade?...

— Vous me trouvez naïf?

— Que s'est-il passé depuis?

Il soupira, secoua la tête en homme qui n'arrive plus à suivre le fil de ses idées.

— Tant de choses!... Quelques jours après
l'anniversaire, quand je suis rentré, vers deux ou
trois heures du matin, j'ai trouvé un lit de camp
dressé dans la salle à manger... Je n'ai pas compris tout de suite que c'était pour moi... J'ai en-
trouvert la porte de la chambre... Ils étaient tous
les deux dans notre lit et ils dormaient ou fei-
gnaient de dormir...

» Qu'est-ce que j'aurais pu faire? Roger Prou
est plus fort que moi... En outre, je n'étais guère

solide sur mes jambes... Je suis persuadé qu'il
aurait été capable de me frapper...

» Eh puis ! Je ne voulais pas qu'Isabelle se ré-
veille... Elle ne comprend pas encore... A ses
yeux, je reste son père...

» J'ai dormi sur le lit de camp et, quand ils se
sont levés, le matin, j'étais déjà à l'atelier...

» Mes ouvriers m'ont regardé d'un air goguenard. Il n'y a eu que le vieux Jules, celui que
nous appelons Pépère et qui a les cheveux tout
blancs, à prendre une autre attitude. Il était dans
la maison avant moi, je crois que je vous l'ai dit.
Il me tutoie. Il est venu me trouver au fond de
l'atelier et a grommelé :

» — Ecoute, Léonard, il est temps que tu flan-
ques cette femelle à la porte... Si tu ne le fais pas
maintenant, cela finira par du vilain.

» Il a compris que je n'en avais pas le courage. Il me regardait dans les yeux, une main
sur mon épaule, et il a fini par soupirer :

» — Je ne te savais pas si malade que ça...

» Je n'étais pas malade. Je continuais simple-
ment de l'aimer, d'avoir besoin d'elle, de sa présence, même si elle couchait avec un autre...

» Je vous demande de me répondre franchement, M. Maigret...

Il n'avait pas dit monsieur le commissaire,
comme il l'aurait fait Quai des Orfèvres, mais
M. Maigret, semblant souligner que c'était
l'homme qu'il était venu voir.

— Est-ce que vous avez déjà rencontré des cas comme le mien...

— Vous me demandez si d'autres hommes sont restés avec leur femme en sachant que celle-ci avait un amant?

— C'est un peu cela...

— Il y en a beaucoup.

— Seulement, je suppose qu'on leur laisse leur place chez eux, qu'on fait au moins semblant de les compter pour quelque chose?... Moi pas! Voilà près de deux ans, maintenant, qu'ils me poussent lentement dehors... C'est à peine si on met encore mon couvert à table... Ce n'est pas Prou qui est l'étranger, c'est moi... Pendant le repas, ils parlent entre eux, ils rient, s'adressent à ma fille comme si je n'étais qu'un fantôme...

» Le dimanche, ils prennent la camionnette pour aller se promener à la campagne... Au début, je restais avec Isabelle et je trouvais toujours un moyen de l'amuser...

» Est-ce que, sans Isabelle, je serais parti? Je n'en sais rien...

» En tout cas, à présent, ma fille va le plus souvent avec eux, parce que c'est plus agréable de se promener en auto...

» Je me suis posé toutes les questions possibles, pas seulement le soir, quand j'ai bu quelques verres, mais le matin, et toute la journée pendant que je travaille... Car je continue à travailler beaucoup...

» Des questions sentimentales et aussi des questions pratiques... Je suis même allé voir un avocat, il y a trois mois... Je ne lui en ai pas dit aussi long qu'à vous, parce que j'avais l'impression qu'il m'écoutait à peine et que je l'impatientais.

» — En définitive, que voulez-vous? m'a-t-il demandé.

» — Je ne sais pas.

» — Le divorce?

» — Je ne sais pas. Je tiens par-dessus tout à garder ma fille.

» — Vous avez des preuves de l'inconduite de votre femme?

» — Je vous dis que, chaque nuit, je dors sur un lit de camp, tandis que tous les deux, dans ma chambre...

» — Il sera nécessaire de le faire constater par le commissaire de police... Sous quel régime êtes-vous marié?

» Il m'a expliqué que, faute d'avoir signé un contrat de mariage, nous étions mariés, Renée et moi, sous le régime de la communauté des biens, ce qui signifie que mon entreprise, ma maison, mes meubles, tout ce que je possède, y compris les vêtements que j'ai sur le corps, lui appartiennent autant qu'à moi...

» — Et ma fille? ai-je insisté. Est-ce qu'on me donnera ma fille?

» — Cela dépend. Si l'inconduite est prouvée et si le juge...

Il serrait les dents.

— Il m'a dit autre chose... reprit-il après un instant. Avant d'aller le voir, comme avant de venir ici, j'avais bu un verre ou deux, pour me remonter... Il l'a tout de suite remarqué, je l'ai compris à la façon dont il me traitait...

» — Le juge décidera lequel, de vous deux, est le plus capable de donner à votre fille une existence normale...

» Et cela, ma femme me l'a dit en d'autres termes.

» — Qu'est-ce que tu attends pour t'en aller ? m'a-t-elle répété plusieurs fois. Tu n'as donc aucune dignité ? Tu ne comprends pas que tu es de trop ici ?

» Je lui ai répondu, buté :

» — Je n'abandonnerai jamais ma fille...

» — C'est la mienne aussi, non ? Tu te figures que je la laisserais partir avec un ivrogne de ton espèce ?

» Je ne suis pas un ivrogne, M. Maigret. Je vous supplie de me croire, malgré les apparences. Avant, je ne buvais jamais, pas même un petit verre de temps en temps. Mais qu'est-ce que je pourrais faire, le soir, tout seul dans les rues ?

» J'ai pris l'habitude d'entrer dans les bistrots, de m'y accouder, pour sentir des gens autour de moi, pour entendre des phrases quelconques, des voix humaines...

» Je bois un verre, puis deux... Et je pense...

Et cela me force à en boire un autre, puis un autre...

» J'ai essayé de m'arrêter et je me suis senti
si mal que j'avais envie d'aller me jeter dans la
Seine... J'y ai souvent pensé... C'est la solution
la plus facile... Ce qui me retient, c'est Isabelle...
Je ne veux pas la leur laisser... A l'idée qu'un
jour elle l'appellera papa...

Maintenant, il pleurait et, sans fausse honte,
tirait son mouchoir de sa poche tandis que Maigret le regardait toujours fixement.

Il y avait un décalage, certes. Alcool ou pas
alcool, l'homme s'exaltait, s'enfonçait délibéré-
ment dans son désespoir.

Du strict point de vue policier, il n'y avait
rien à faire. Il n'était coupable de rien. Il avait
l'intention de tuer sa femme et l'amant de celle-
ci, tout au moins le prétendait-il. Mais, cette
intention, il ne la leur avait même pas communi-
quée, de sorte qu'on ne pouvait pas parler de me-
naces de mort.

Sur le plan légal, le commissaire n'aurait pu
que lui dire :

— Revenez après...

Quand il serait enfin un coupable ! Il aurait pu
ajouter, sans trop craindre de se tromper :

— Si vous racontez votre histoire aux jurés
comme vous venez de me la raconter et si vous
avez un bon avocat, il est probable que vous serez acquitté...

Etait-ce la solution que Planchon était venu
en quelque sorte lui mendier? L'espace de quelques secondes, Maigret le soupçonna. Il n'aimait
pas les hommes qui pleurent. Il se méfiait de ceux
qui se confessent avec trop de complaisance. Et
l'étalage de sentiments exaltés par l'alcool
n'était pas sans l'irriter.

Il avait déjà raté son dîner, son spectacle à la
télévision. Planchon ne faisait pas mine de s'en
aller. Lui aussi semblait apprécier la chaude atmosphère de l'appartement. Allait-il en être de
lui comme de ces chiens perdus qu'on caresse au
passage et dont, ensuite, on n'arrive pas à se dé-
faire?

— Excusez-moi... balbutiait Planchon en s'es-
suyant les yeux. Je dois vous paraître ridicule...
C'est la première fois de ma vie que je me con-
fie à quelqu'un...

Maigret avait envie de lui répondre :

— Pourquoi moi?

Parce que les journaux n'avaient que trop
parlé de lui et que les reporters lui avaient fait
la réputation d'un policier humain, capable de
tout comprendre.

— Il y a combien de temps, questionna-t-il,
que vous m'avez écrit la première lettre?

— Cela fait plus de deux mois... C'était dans
un petit café de la place du Tertre...

Il avait été beaucoup question de Maigret, à
cette époque-là, à l'occasion d'un crime commis
par un jeune homme de dix-huit ans.

— Et vous avez écrit une dizaine de lettres que vous avez toutes déchirées? Cela en l'espace d'une semaine à peu près...

— A peu près... Il m'arrivait d'en écrire deux ou trois le même soir et de ne les déchirer que le lendemain matin...

— Donc, pendant six ou sept semaines, vous êtes venu chaque samedi Quai des Orfèvres...

Avec sa façon de s'annoncer, d'attendre dans la cage vitrée et de disparaître avant qu'on le reçoive, il était devenu un personnage presque aussi légendaire que l'ancienne mercière au tricot. Etait-ce Janvier ou Lucas qui l'avait baptisé le client du samedi?

Or, pendant ce temps, Planchon n'avait pas mis sa menace à exécution. Il était retourné chaque nuit rue Tholozé, s'était étendu sur son lit de camp pour se lever le premier le matin et pour prendre son travail comme si de rien n'était.

L'homme, pourtant, était plus subtil qu'on aurait pu le croire.

— Je devine ce que vous pensez... murmurait-il avec mélancolie.

— Qu'est-ce que je pense?

— Que j'accepte cette situation depuis bientôt deux ans. Que, depuis deux mois, je parle de tuer ma femme ou de les tuer tous les deux...

— Alors?

— Puisque je ne l'ai pas encore fait... Avouez que c'est ça!... Vous vous dites que je n'en aurai jamais le courage...

Maigret secoua la tête.

— Il ne faut aucun courage pour ça... Le meurtre est à la portée de n'importe quel imbécile...

— Et quand il n'y a pas d'autre issue?...
Mettez-vous à ma place... J'avais une bonne petite affaire, une femme, un enfant... On me
prend tout... Non seulement ma femme et ma
fille, mais mon gagne-pain... Car ils ne parlent
jamais de s'en aller... Dans leur esprit, c'est
moi qui suis de trop et c'est donc à moi de partir... C'est cela que j'essaie de vous faire comprendre...

« Tenez! Même avec les clients... C'est venu
petit à petit... Prou n'était qu'un de mes ouvriers, un ouvrier intelligent et travailleur, je
le reconnais... Il a plus de bagoût que moi... Il
s'y prend mieux que moi aussi avec les clients
et surtout avec les clientes...

» Sans que je m'en rende compte, il s'est mis
à faire figure de patron et, quand les gens télé-
phonent pour un travail, c'est presque toujours
lui qu'ils demandent... Si je disparaissais demain, c'est à peine si on s'apercevrait de mon
absence... Est-ce que seulement ma fille me ré-
clamerait?... Ce n'est pas sûr... Il est plus gai
que moi... Il lui raconte des histoires, lui chante
des chansons, la porte sur ses épaules...

— Comment votre fille l'appelle-t-elle?

— Elle l'appelle Roger, comme le fait ma
femme... Elle ne s'étonne pas qu'ils dorment
dans la même chambre... Pendant la journée, on

replie le lit de camp qu'on pousse dans un placard et c'est comme si ma présence se trouvait
effacée... Mais je ne vous ai que trop retenu...
Je voudrais demander pardon à votre femme, qui
doit m'en vouloir...

C'était Maigret, cette fois, qui ne le laissait
pas partir, acharné qu'il était à comprendre.

— Ecoutez-moi, M. Planchon...

— Je vous écoute...

— Depuis deux mois, vous cherchez à m'ap-
procher pour me dire, en somme :

» — J'ai l'intention de tuer ma femme et son
amant...

» C'est bien cela, n'est-ce pas ?

— Oui.

— Depuis deux mois, vous vivez quotidien-
nement avec cette pensée...

— Oui... Il n'y a rien d'autre à...

— Un instant !... Je suppose que vous ne vous
attendez pas à ce que je vous réponde :

« — Allez-y ! »

— Vous ne devez pas en avoir le droit.

— Mais vous croyez que je partage votre point
de vue ?

Un bref éclair dans les yeux de son interlocuteur lui indiqua qu'il n'était pas loin de la vérité.

— De deux choses l'une... Excusez-moi si je
me montre brutal... Ou bien vous n'avez pas
l'intention de tuer qui que ce soit, mais seulement des velléités, surtout après boire...

Planchon hochait tristement la tête.

— Laissez-moi finir... Ou bien, dis-je, vous n'êtes pas vraiment décidé et vous cherchez à ce qu'on vous dissuade...

L'homme revenait toujours avec son sempiternel argument :

— Il n'y a rien d'autre à faire...

— Vous vous attendiez à ce que je trouve une solution ?

— Il n'en existe pas.

— Bon ! Mettons que cette hypothèse soit inexacte... Je n'en vois qu'une autre... Vous avez réellement formé le projet de tuer votre femme et son amant... Vous êtes même allé aussi loin que d'envisager l'endroit où vous vous débarrasserez des corps...

— J'ai pensé à tout...

— Or, vous venez me trouver, moi qui ai pour tâche de mettre la main sur les criminels...

— Je sais...

— Qu'est-ce que vous savez ?

— Que cela ne paraît pas logique...

A son air buté, on n'en sentait pas moins qu'il s'en tenait à son idée. Il avait débuté dans la vie sans argent, sans moyens, sans guère d'instruction. Autant que Maigret pouvait en juger, il était d'une intelligence assez médiocre.

Resté seul à Paris après la mort de sa mère, il n'en était pas moins arrivé, en quelques années, à force d'obstination, à devenir le patron d'une petite entreprise prospère.

Pouvait-on dire que cet homme-là n'avait pas de suite dans les idées? Même s'il s'était mis à boire?

— Vous m'avez parlé tout à l'heure de confessionnal... Vous m'avez dit que, si vous aviez continué à pratiquer la religion, vous seriez allé vous confier à un prêtre...

— Je crois...

— Que pensez-vous que ce prêtre vous aurait dit?

— Je ne sais pas... Je suppose qu'il aurait essayé de me détourner de mon projet...

— Et moi?

— Vous aussi...

— Vous désirez donc qu'on vous retienne, qu'on vous empêche de faire une bêtise...

Planchon parut soudain désemparé. Un instant plus tôt, il regardait encore Maigret avec confiance, avec espoir. Tout à coup, on aurait dit qu'ils ne parlaient pas le même langage, que toutes paroles échangées jusqu'à présent étaient vaines.

Il secouait la tête et il y avait comme un reproche dans ses yeux, une déception en tout cas. Il murmura très bas :

— Ce n'est pas ça...

Peut-être était-il sur le point de prendre son chapeau et de partir en regrettant cette visite inutile.

— Un instant, Planchon... Essayez de m'écouter, au lieu de suivre votre propre pensée...

— J'essaie, M. Maigret.

— Quel bien, quel réconfort vous aurait apporté votre confession à un prêtre?

Toujours dans un souffle, il répondait :

— Je ne sais pas...

Il était encore présent sans l'être. Déjà il commençait à se refermer, à ne plus entendre la voix du commissaire que comme, le soir, il entendait les voix anonymes dans les bistrots où il s'accoudait.

— Vous auriez tué quand même, après?

— Je suppose... Il est temps que je m'en aille...

Et Maigret, comme vexé de le décevoir, s'obstinait, cherchait une petite vérité qu'il croyait parfois pressentir.

— Vous n'avez pas envie qu'on vous empêche de faire ce que vous avez décidé de faire...

— Non...

Il ajouta avec un drôle de sourire :

— A moins de me mettre en prison, ce n'est pas possible... Et on ne peut pas me mettre en prison tant que je n'ai rien fait...

— De sorte que, ce que vous êtes venu chercher ici, c'est une sorte d'absolution... Vous avez besoin de savoir que vous serez compris, que vous n'êtes pas un monstre et que votre projet est la seule solution qui vous reste...

Il répétait :

— Je ne sais pas...

Et il était tellement absent que Maigret avait envie de le secouer aux épaules, de lui parler fort, visage à visage, les yeux dans les yeux.

— Ecoutez, Planchon...

Lui aussi se répétait. C'était peut-être la dixième fois qu'il prononçait ces mots-là.

— Comme vous venez de le dire, je n'ai pas le droit de vous enfermer. Mais je peux vous faire surveiller, même si cela ne doit rien empêcher. Vous serez arrêté immédiatement. Ce n'est pas moi qui vous jugerai, mais un tribunal qui n'essayera pas nécessairement de comprendre et qui risque de retenir surtout la préméditation.

« Vous m'avez appris que vous n'avez pas de famille à Paris...

— Je n'en ai nulle part.

— Que deviendra votre fille, ne fût-ce que pendant les mois que durera l'instruction et l'attente du procès?... Et ensuite?...

Encore et toujours le :

— Je sais...

— Alors?

— Rien.

— Qu'est-ce que vous allez faire?

— Je ne sais pas. Je ne sais plus. Je veux bien essayer.

— Quoi?

— De m'habituer.

Maigret avait envie de lui crier que ce n'était pas ça qu'il lui demandait.

— Qu'est-ce qui vous empêche de partir?

— Avec ma fille?

— Vous êtes encore le chef de famille.

— Et elle?

— C'est à votre femme que vous pensez?

Planchon faisait honteusement oui de la tête.
Puis il ajoutait :

— Et mon affaire?...

Ce qui indiquait qu'il n'y avait pas que de la
passion dans son cas.

— Je verrai...

— Vous reviendrez me voir?

— Je vous ai tout dit... Je ne vous ai pris que
trop de votre temps... Votre femme...

— Ne vous occupez pas de ma femme, mais de
vous... Ne revenez pas me voir, soit... Mais je
tiens, moi, à garder le contact... N'oubliez pas
que c'est vous qui êtes venu me trouver...

— Je vous en demande pardon...

— Vous allez me téléphoner chaque jour...

— Ici?

— Ici ou à mon bureau... Je vous demande
seulement de m'appeler...

— Pourquoi?

— Pour rien. Pour rester en contact. Vous me
direz :

» — Je suis là...

» Et cela me suffira...

— Je le ferai.

— Chaque jour?

— Chaque jour.

— Et si, à un moment donné, vous vous sentiez sur le point de mettre votre projet à exécution, vous m'appelleriez?

Il hésita, parut peser le pour et le contre.

— Cela signifie que je ne le ferais pas, articula-t-il enfin.

Il finassait, comme un paysan à la foire.

— Vous comprenez, si je téléphone pour vous annoncer...

— Répondez à ma question...

— J'essayerai...

— C'est tout ce que je vous demande... Et maintenant, rentrez chez vous...

— Pas encore...

— Pour quelle raison?

— Ce n'est pas l'heure... Ils sont tous les deux dans la salle à manger... Qu'est-ce que j'y ferais?

— Vous allez encore traîner dans les bistrots?

Il haussa les épaules, résigné, eut un coup d'œil au carafon de prunelle. Agacé, Maigret finit par lui en verser un dernier verre.

— Autant que vous buviez ici qu'ailleurs...

L'homme hésitait, son verre à la main, un peu honteux.

— Vous me méprisez?

— Je ne méprise personne...

— Mais si vous deviez mépriser quelqu'un?...

— Ce ne serait certainement pas vous.

— Vous dites cela pour m'encourager?

— Non. Parce que je le pense.

— Je vous remercie...

Cette fois, il avait son chapeau à la main et regardait autour de lui comme s'il cherchait autre
chose.

— Je voudrais que vous expliquiez à votre
femme...

Maigret le poussait doucement vers la porte.

— Je vous ai gâché votre soirée... A elle aussi...

Il était sur le palier, déjà plus anonyme que
dans l'appartement de Maigret, un petit homme
très ordinaire sur qui personne ne se serait retourné dans la rue.

— Au revoir, M. Maigret...

Ouf ! La porte était refermée et Mme Maigret
jaillissait de la cuisine.

— J'ai cru qu'il n'en finirait pas et que tu ne
parviendrais jamais à t'en débarrasser... J'ai failli
entrer pour te donner une excuse...

Elle regardait son mari avec attention.

— Tu parais préoccupé...

— Je le suis...

— C'est un fou ?

— Je ne le crois pas...

Elle lui posait rarement des questions. Mais
cela s'était passé chez eux. Tout en apportant la
soupe, elle se risquait à murmurer :

— Qu'est-ce qu'il est venu faire ?

— Se confesser.

Elle ne sourcilla pas, s'assit à sa place.

— Tu ne mets pas la télévision ?

— Le programme doit être presque terminé...

Jadis, le samedi soir, quand il n'était pas retenu au Quai des Orfèvres, ils allaient tous les deux au cinéma, moins pour le spectacle que pour être dehors ensemble. Bras dessus, bras dessous, ils se dirigeaient vers le boulevard Bonne-Nouvelle et ils se sentaient bien ainsi, sans éprouver le besoin de parler.

— Demain, annonçait maintenant Maigret, nous irons faire un tour à Montmartre...

Bras dessus, bras dessous aussi, comme les promeneurs du dimanche. Il avait envie de revoir la rue Tholozé, de chercher, au fond d'une cour, le pavillon qu'habitaient Léonard Planchon, sa femme, sa fille Isabelle et Roger Prou.

Avait-il eu raison? Avait-il eu tort? Avait-il trouvé les mots qu'il fallait dire?

Planchon avait-il trouvé, lui, boulevard Richard-Lenoir, ce qu'il était venu y chercher?

A l'heure qu'il était, il était occupé à boire quelque part, en remâchant sans doute tout ce qu'il avait raconté.

Il était impossible de savoir si cette entrevue tant désirée et si souvent remise lui avait apporté quelque apaisement ou si, au contraire, elle n'allait pas provoquer une sorte de déclic.

C'était la première fois que Maigret quittait un homme, sur le palier de sa propre maison, en se demandant si cet homme, un peu plus tard, n'irait pas tuer deux personnes.

Cela pouvait se passer cette nuit même, d'un

instant à l'autre, au moment peut-être où Maigret
y pensait.

— Qu'est-ce que tu as?

— Rien... Je n'aime pas cette histoire...

Il envisagea de téléphoner au poste du XVIII
arrondissement pour qu'on surveille le pavillon
de Planchon. Mais pouvait-on mettre un policier
en faction dans la chambre à coucher?

Un agent dans la rue n'empêcherait rien.

3

CE FUT UN DIMANCHE
matin comme les autres, paresseux et vide, un
peu terne. Maigret avait l'habitude, ce jour-là,
quand, par chance, il le passait chez lui, de faire
la grasse matinée et, même s'il n'avait pas sommeil, il restait au lit, sachant bien que sa femme
n'aimait pas « l'avoir dans les jambes » tant
qu'elle n'avait pas fini le gros du ménage.

Presque toujours, il l'entendait se lever avec
précaution, vers sept heures, se glisser hors du
lit, gagner la porte sur la pointe des pieds; puis
il entendait le déclic du commutateur dans la
pièce voisine et un trait lumineux se dessinait au
ras du plancher.

Il se rendormait, sans s'être éveillé tout à fait.
Il savait que les choses se passaient ainsi et cette
certitude pénétrait son sommeil.

Ce n'était pas le sommeil des autres jours, mais celui du dimanche matin et il avait une autre épaisseur, une autre saveur aussi. Par exemple, de demi-heure en demi-heure, il entendait les cloches et il était conscient du vide des rues, de l'absence de camions, de la rareté des autobus.

Il savait aussi qu'il n'avait pas de responsabilités, que rien ne le pressait, ne l'attendait dehors.

Plus tard, il y avait le ronronnement étouffé de l'aspirateur électrique dans les autres pièces; plus tard encore l'odeur du café à laquelle il était très sensible.

Tous les ménages n'ont-ils pas ainsi leurs traditions auxquelles ils se raccrochent et qui donnent de la saveur aux journées les plus mornes?

Il rêva de Planchon. Ce n'était pas vraiment un rêve. Il le voyait, comme la veille, dans leur petit salon, mais son attitude était différente. Au lieu d'être brouillés par l'émotion, par le désespoir, les traits défigurés par le bec-de-lièvre exprimaient une malice ironique. Bien que l'homme ne remuât pas les lèvres, Maigret avait conscience qu'il disait :

— Avouez que vous me donnez raison, qu'il ne me reste rien d'autre à faire que de la tuer ! Vous n'osez pas le dire, parce que vous êtes un fonctionnaire et que vous avez peur de vous mouiller. Cependant, vous ne me retenez pas.

Vous attendez que j'en aie fini avec elle et avec lui...

Une main lui secouait doucement l'épaule et une voix familière prononçait le rituel :

— Il est neuf heures...

Sa femme lui tendait sa première tasse de café, qu'il buvait toujours avant de se lever.

— Quel temps fait-il ?

— Froid. Du vent.

Elle ouvrait les rideaux, déjà fraîche et nette dans une blouse de travail bleu pâle. Le ciel était blanc, l'air paraissait blanc aussi, d'un blanc de glace.

En robe de chambre et en pantoufles, Maigret allait s'asseoir dans la salle à manger où le ménage était fini. Et la matinée allait s'écouler suivant certains rites qui s'étaient établis peu à peu au cours des années.

N'en était-il pas ainsi dans les appartements qu'il apercevait de l'autre côté du boulevard Richard-Lenoir, comme dans la plupart des logements de Paris et d'ailleurs ? Ces petites habitudes, ce ronron, ne répondaient-ils pas d'une certaine nécessité ?

— A quoi penses-tu ? lui demanda-t-elle.

Elle avait remarqué qu'il était soucieux, maussade.

— Au type d'hier.

La femme de Planchon n'éveillait pas son mari avec du café chaud. Quand il ouvrait les yeux, après un sommeil agité d'ivrogne, il se retrou-

vait sur un lit de camp, dans la salle à manger,
et c'était lui qui se levait le premier, entendant
peut-être, dans la chambre voisine, des respira-
tions régulières, devinant deux corps chauds et
détendus dans la chaleur du lit.

Cette image le remuait davantage que le long
monologue de son interlocuteur de la veille. Planchon avait surtout parlé des jours de semaine.
Mais comment cela se passait-il le dimanche?
Ses ouvriers ne l'attendaient pas dans la cour ou
dans la remise. Il n'avait rien à faire, lui non
plus. Chez eux, c'étaient sans doute Renée et son
amant qui faisaient la grasse matinée.

Est-ce que Planchon préparait le café pour
tout le monde, mettait la table dans la cuisine?
Est-ce que sa fille, en chemise de nuit, pieds nus,
les traits brouillés par le sommeil, venait l'y rejoindre?

L'homme lui avait dit qu'elle ne posait pas de
questions, mais cela n'empêchait pas Isabelle
de regarder autour d'elle et de penser. Quelle
idée avait-elle de la vie d'un ménage et de celle
de son père?

Maigret mangeait ses croissants pendant que
Mme Maigret commençait à préparer le déjeuner.
De temps en temps, ils échangeaient quelques mots
par la porte de la cuisine. Les journaux du soir,
qu'il n'avait pas lus la veille, se trouvaient sur
la table, avec les hebdomadaires qu'il réservait
pour le dimanche matin.

Le coup de téléphone qu'il donna à la P.J. était une autre tradition. Peut-être seulement le donna-t-il un peu plus tôt, avec une certaine anxiété.

Torrence était de garde. Il reconnut sa voix, l'imagina dans les bureaux presque déserts.

— Rien de nouveau?

— Rien d'important, patron, sauf qu'il y a eu un autre vol de bijoux la nuit dernière.

— Encore au Crillon?

— Au Plaza, avenue Montaigne.

Il avait pourtant posté un inspecteur dans chacun des palaces des Champs-Elysées et des environs.

— Qui était là-bas?

— Vacher.

— Il n'a rien vu?

— Rien. Toujours la même technique.

Bien entendu, on avait étudié les fiches de tous les voleurs de bijoux, y compris les fiches de l'Interpol. La manière de celui-ci ne correspondait à celle d'aucun spécialiste connu et il agissait coup sur coup, comme s'il voulait, en l'espace de quelques jours, amasser une fortune suffisante et se retirer.

— Tu as envoyé quelqu'un pour aider Vacher?

— Dupeu est allé le rejoindre. Ils ne peuvent rien faire pour le moment. La plupart des clients dorment encore.

Torrence dut trouver bizarre la question suivante :

— Il ne s'est rien passé dans le XVIII⁰ arrondissement?

— Rien dont je me souvienne. Attendez que
je consulte les fiches... Un instant... *Bercy*...
Bercy... Je passe tous les *Bercy*...

C'étaient, en termes de police, les ivrognes
plus ou moins agités qu'on emmenait passer le
reste de la nuit au poste.

— Bagarre, à trois heures quinze, place Pi-
galle... Entôlage... Encore un entôlage... Coup de
couteau à la sortie d'un bal, boulevard Rochechouart...

Le bilan habituel d'un samedi soir.

— Pas de meurtre?

— Je n'en vois pas.

— Je te remercie. Bonne journée. Passe-moi
un coup de fil s'il y a du nouveau au Plazza...

Mme Maigret, dans l'encadrement de la porte,
questionnait, comme il raccrochait l'appareil :

— C'est à cause du type d'hier que tu es inquiet?

Il la regarda en homme qui ne sait que répondre.

— Tu crois qu'il finira par les tuer?

Au moment de se coucher, il avait mis sa femme
au courant de la confession de Planchon, sur un
ton léger, comme s'il ne prenait pas l'affaire au
sérieux.

— Tu ne penses pas qu'il a l'esprit dérangé?

— Je ne sais pas. Je ne suis pas psychiatre.

— Pourquoi, à ton avis, est-il venu te trouver?

Dès que je l'ai vu sur le palier, j'ai compris que ce n'était pas une visite comme une autre et je t'avoue qu'il m'a fait peur...

A quoi bon se tracasser? Est-ce que cela le regardait? Pas encore, en tout cas. Il répondait évasivement à sa femme et, installé dans son fauteuil, s'enfonçait dans la lecture des journaux.

Il n'était pas assis de dix minutes qu'il se levait, allait chercher l'annuaire du téléphone, trouvait le nom de Planchon, Léonard, entrepreneur de peinture, rue Tholozé.

L'homme n'avait pas triché en ce qui concernait son identité. Maigret hésita un instant à composer le numéro, le fit enfin et, tandis que la sonnerie retentissait dans une maison inconnue, il ressentit un petit pincement dans la poitrine.

Il crut d'abord qu'il n'y avait personne, car la sonnerie persistait longtemps. Enfin il y eut un déclic et une voix demanda :

— Qu'est-ce que c'est?

C'était la voix d'une femme qui ne paraissait pas être de bonne humeur.

— Je voudrais parler à M. Planchon...

— Il n'est pas ici...

— C'est madame Planchon qui est à l'appareil?

— C'est moi, oui...

— Vous ne savez pas quand votre mari rentrera?

— Il vient juste de sortir avec sa fille...

Maigret nota qu'elle avait dit *sa* fille, et non *ma*

fille ou *notre* fille. Il comprit aussi que quelqu'un,
dans la pièce, parlait à la femme, sans doute
pour lui dire :

— Demande-lui son nom...

En effet, après un court silence, elle questionnait :

— Qui est à l'appareil?

— Un client... Je rappellerai...

Il raccrocha. Renée était bien vivante, Roger
Prou aussi, sans doute, et Planchon était allé se
promener avec sa fille, ce qui prouvait que, rue
Tholozé comme ailleurs, il existait des traditions
du dimanche.

Il n'y pensa presque plus de la matinée. Ses
journaux une fois parcourus sans grande curio-
sité, il resta un certain temps, debout à la fenêtre, à regarder les gens qui revenaient de la
messe et qui marchaient vite, penchés en avant,
le visage bleu de froid. Puis il prit son bain,
s'habilla, tandis qu'une odeur de cuisine se ré-
pandait dans tous les coins de l'appartement.

A midi, ils mangeaient face à face, car ils ne
prenaient pas la télévision. Ils parlèrent de la
fille du Dr Pardon qui attendait un second
enfant, puis d'autres choses qui ne lui restèrent
pas dans la mémoire.

Vers trois heures, la vaisselle finie, l'appartement à nouveau en ordre, il proposa :

— Si nous allions faire un tour?

Mme Maigret mit son manteau d'astrakan.
Il choisit sa plus grosse écharpe.

— Où veux-tu aller?

— A Montmartre.

— C'est vrai. Tu m'en as parlé hier. On prend le métro?

— Il y fera plus chaud...

Ils en sortirent à la station place Blanche et commencèrent à monter lentement la rue Lepic où les volets des boutiques étaient fermés.

A hauteur de la rue des Abbesses, la rue Lepic fait un grand coude, tandis que la rue Tholozé grimpe tout droit, en pente raide, et va la rejoindre à la hauteur du Moulin de la Galette.

— C'est par ici qu'il habite?

— Un peu plus haut... juste au pied de l'escalier...

A peu près à mi-chemin, à gauche, Maigret aperçut une façade peinte en violet, des lettres qui, le soir, devenaient lumineuses : *Bal des Copains*. Trois jeunes gens, debout sur le trottoir, semblaient attendre quelqu'un et on entendait, à l'intérieur, des ritournelles d'accordéon. On ne dansait pas encore. L'accordéoniste, au fond de la salle presque obscure, s'entraînait.

C'était ici, neuf ans plus tôt, que Planchon-le-solitaire avait rencontré Renée, par hasard, parce qu'il y avait beaucoup de monde et qu'un garçon pressé avait fait asseoir la jeune fille à sa table.

Les Maigret marchaient toujours, un peu essoufflés. Entre les immeubles de cinq ou six étages, on voyait encore quelques maisons basses qui dataient du temps où Montmartre était un village.

Ils se trouvèrent enfin devant une grille ouverte sur une cour pavée au fond de laquelle se dressait un pavillon en meulière comme on en voit surtout en banlieue. C'était une construction à un seul étage, déjà ternie, vieillotte, avec une alternance de briques jaunes et de briques rouges autour des fenêtres. Les boiseries étaient peintes de frais, d'un bleu qui jurait avec l'ensemble.

— C'est ici qu'il habite?

Ils n'osaient pas s'arrêter, se contentant d'en découvrir autant qu'ils pouvaient en passant lentement. Mme Maigret devait se rappeler plus tard que les rideaux étaient très propres. Maigret, lui, nota les échelles dans la cour, une charrette à bras, un hangar en bois derrière les fenêtres duquel on apercevait des bidons de peinture.

La camionnette n'était pas dans la cour. Il n'y avait pas de garage. Les rideaux ne bougèrent pas. On ne notait aucun signe de vie. Fallait-il en conclure que Planchon, sa femme, Isabelle et Prou étaient allés se promener tous ensemble en voiture?

— Qu'est-ce qu'on fait?

Maigret n'en savait rien. Il avait éprouvé le besoin de voir et, maintenant qu'il avait vu, il n'avait aucun projet.

— Tant que nous y sommes, si nous montions jusqu'à la place du Tertre?

Ils y burent un carafon de vin rosé et un artiste chevelu vint leur proposer leur portrait.

A 18 heures, les Maigret étaient rentrés chez eux. Il téléphona au Quai des Orfèvres. Dupeu était rentré. Il n'avait rien découvert au Plazza où certains clients, qui avaient passé la nuit dehors, n'avaient pas encore sonné pour leur petit déjeuner.

Cette fois, il ne rata pas sa télévision, bien qu'on donnât un film policier qui le fit grogner toute la soirée.

Au fond, s'il savourait la monotonie des dimanches, il savourait plus encore le moment où, le lundi matin, il reprenait possession de son bureau. Il se rendit au rapport, serra la main de ses collègues. Chacun parla plus ou moins des affaires en cours et il préféra se taire sur la visite qu'il avait reçue le samedi soir. Craignait-il d'être ridicule en y attachant de l'importance?

C'était le seul jour de la semaine où tout le monde se serrait la main. Il retrouva Lucas, Janvier, le jeune Lapointe, tous les autres, et chacun, sauf les quelques-uns qui avaient été de service, avait passé, comme lui, le dimanche en famille.

Il finit par choisir Lapointe et Janvier, qu'il emmena dans son bureau.

— Avez-vous gardé les cartes que nous avions fait faire lors de l'affaire Rémond?

Cela remontait à plusieurs mois, au début de l'automne. Il s'agissait de trouver des preuves contre un certain Rémond, aux identités multiples, soupçonné d'avoir commis des escroqueries dans la plupart des pays d'Europe. Il occupait un studio meublé rue de Ponthieu et, pour y pénétrer à son insu sans éveiller les soupçons de la tenancière, Janvier et Lapointe s'étaient présentés un matin avec des cartes d'allure officielle d'un vague service pour la réévaluation de la surface bâtie.

— Nous devons mesurer chaque chambre, chaque corridor... annonçaient-ils.

Ils avaient sous le bras une serviette bourrée de papiers et le jeune Lapointe prenait gravement des notes tandis que Janvier déployait son ruban métrique.

Ce n'était pas très légal; ce n'était pas non plus la première fois que le truc servait et il pouvait servir une fois de plus.

— Vous allez vous rendre rue Tholozé... Tout en haut, à droite, vous trouverez un pavillon au fond d'une cour...

Maigret aurait donné gros pour s'y rendre lui-même et pour renifler dans les coins de cette maison dont il souhaitait tout connaître.

Il donna des instructions minutieuses et, ses collaborateurs partis, s'attela aux affaires courantes.

Le ciel était toujours blanc et dur, la Seine d'un gris méchant. Il était près de midi quand Janvier et Lapointe revinrent et il prit le temps

de signer quelques pièces administratives et de
sonner Joseph pour les lui remettre.

— Alors, mes enfants?

Ce fut Janvier qui parla.

— Nous avons sonné...

— Je m'en doute. Et c'est la femme qui est
venue vous ouvrir. Comment est-elle?

Ils se regardèrent.

— Une brune, assez grande, bien bâtie...

— Belle fille?

Cette fois, Lapointe intervint.

— Je dirais plutôt une belle femelle...

— Comment était-elle habillée?

— Elle portait un peignoir rouge et des pantoufles. Elle n'était pas coiffée. Sous le peignoir,
on entrevoyait une chemise jaune...

— Vous avez vu sa fille?

— Non. Elle devait être à l'école.

— La camionnette était dans la cour?

— Non. Et il n'y avait personne dans l'atelier.

— Comment vous a-t-elle reçus?

— Avec méfiance. Elle nous a d'abord observés à travers le rideau d'une fenêtre. Puis on a
entendu ses pas dans le corridor. Elle a entrou-
vert la porte et demandé, ne montrant qu'une
partie de son visage :

« — Qu'est-ce que c'est? Je n'ai besoin de
rien...

« Nous lui avons expliqué de quoi il s'agissait...

— Elle ne s'est pas étonnée?

— Elle a demandé :

« — Vous faites ça dans toute la rue?

« Et, quand nous lui avons répondu oui, elle s'est décidée à nous laisser entrer.

« — Ce sera long?

« — Une demi-heure tout au plus...

« — Vous devez mesurer toute la maison? »

Maintenant, les deux inspecteurs donnaient leurs impressions. Ce qui les avait le plus frappés, c'était la cuisine.

— Une cuisine magnifique, patron, très claire, moderne, avec tous les accessoires... On ne s'attend pas à trouver une cuisine comme celle-là dans un vieux pavillon... Il y a même une machine à laver la vaisselle...

Maigret n'en fut pas surpris. N'était-ce pas dans le caractère de Planchon d'offrir à sa femme tout le confort possible?

— Au fond, la maison est fort gaie... On voit tout de suite qu'on est chez un peintre en bâtiments, car tout semble être peint à neuf... Dans la chambre de la petite, les meubles sont peints en rose...

Ce détail aussi correspondait au caractère du client du samedi.

— Continuez...

— A côté de la cuisine se trouve un assez grand living-room qui sert de salle à manger et qui est meublé en rustique...

— Vous avez trouvé le lit de camp?

— Dans le placard, oui...

Janvier ajoutait :

— J'ai remarqué avec l'air de rien :

« — C'est pratique, quand on a des amis à coucher... »

— Elle n'a pas bronché?

— Non. Elle nous suivait partout, surveillant nos gestes, pas trop sûre que nous soyons vraiment envoyés par une agence officielle. A certain moment, elle a questionné :

« — A quoi servent toutes ces mesures que vous prenez?

« Je lui ai servi mon baratin : que, de temps en temps, il est nécessaire, à cause des transformations apportées aux immeubles, de revoir la base des impôts fonciers et que, s'ils n'avaient pas fait d'agrandissements, ils n'auraient qu'à y gagner...

» Je ne la crois pas très intelligente, mais ce n'est pas une femme qui se laisse refaire facilement et j'ai vu le moment où elle décrocherait le téléphone pour appeler notre soi-disant bureau...

» A cause de cela, nous avons fait aussi vite que possible... Il y a deux autres pièces au rez-de-chaussée : une chambre et une pièce plus petite, qui sert de bureau et où se trouve le téléphone...

» La chambre, gaie aussi, n'était pas encore faite et tout était en désordre... Quant au bureau, il ressemble à tous les bureaux de petits ar-

tisans, avec quelques classeurs, des factures pi-
quées sur un crochet, un poêle à feu continu et
des échantillons qui encombrent la cheminée...

» La salle de bains n'est pas au rez-de-chaussée, mais au premier étage, à côté de la chambre
de la petite... »

— C'est tout?

Lapointe intervint.

— Il y a eu un coup de téléphone pendant
que nous étions là... Elle a fait répéter le nom
deux fois, l'a inscrit sur un bloc-notes et a
dit :

« — Non, il n'est pas ici en ce moment... Il
est sur un chantier... Comment?... M. Prou,
oui... Je lui ferai votre commission et il ira vous
voir, sans doute cet après-midi...

» Maintenant, patron, si la dimension de chaque pièce vous intéresse... »

Ils avaient fini leur boulot. Si Maigret n'était
pas beaucoup plus avancé qu'avant, il avait cependant une idée plus précise de la maison et
celle-ci était exactement telle qu'il l'avait imagi-
née.

Est-ce que les deux hommes, le mari et
l'amant, travaillaient au même endroit, ou au
contraire, choisissaient-ils de travailler sur des
chantiers différents? N'étaient-ils pas obligés,
pour leur travail, de s'adresser la parole? Sur
quel ton le faisaient-ils?

Maigret rentra déjeuner et demanda si on ne
l'avait pas appelé au téléphone. On ne l'avait

pas fait et ce n'est qu'un peu après six heures qu'on lui passa, dans son bureau, la communication qu'il attendait.

— Allô !... M. Maigret ?...

— C'est moi, oui...

— Ici, Planchon...

— Où êtes-vous ?

— Dans un café de la place des Abbesses, à deux pas d'une maison où j'ai travaillé toute la journée... Je tiens parole... Vous m'avez demandé de vous téléphoner...

— Comment vous sentez-vous ?

Il y eut un silence.

— Vous êtes calme ?

— Je suis toujours calme... J'ai beaucoup pensé...

— Vous vous êtes promené avec votre fille, hier matin ?

— Comment le savez-vous ? Je l'ai conduite à la Foire aux Puces...

— Et l'après-midi ?

— Ils ont pris l'auto...

— Tous les trois ?

— Oui.

— Vous êtes resté chez vous ?

— J'ai dormi...

Ainsi, il se trouvait dans la maison quand Maigret et sa femme passaient devant la grille.

— J'ai beaucoup pensé...

— A quelle conclusion êtes-vous arrivé ?

— Je ne sais pas .. Il n'y a pas de conclu-

sion... Je vais essayer de tenir aussi longtemps
que possible... Au fond, je me demande si j'ai
tellement envie que ça change... De toute façon, comme vous le disiez avant-hier, je risque
de perdre Isabelle...

Maigret entendait des heurts de verres,
un lointain murmure de voix, le cliquetis d'une
caisse enregistreuse.

— Vous m'appellerez demain ?

L'homme hésitait au bout du fil.

— Vous croyez que c'est utile ?

— Je préférerais que vous m'appeliez chaque
jour...

— Vous n'avez pas confiance en moi ?

Que pouvait-il répondre à cette question ?

— Je tiendrai le coup, allez !...

Il eut un petit rire douloureux.

— J'ai bien tenu le coup deux ans !... Je suis
assez lâche pour continuer longtemps... Car je
suis lâche, non ?... Avouez que c'est ce que vous
pensez... Au lieu d'agir, comme un homme
l'aurait fait, je suis allé pleurnicher chez vous...

— Vous avez eu raison de venir et vous
n'avez pas pleurniché...

— Vous ne me méprisez pas ?

— Non.

— Vous avez tout raconté à votre femme, une
fois que j'ai été dehors ?

— Non plus.

— Elle ne vous a pas demandé qui était
cet énergumène qui vous gâchait votre dîner ?

— Vous vous posez trop de questions, monsieur Planchon... Vous vous regardez vivre...

— Je vous demande pardon...

— Rentrez chez vous...

— Chez moi?

Maigret ne savait plus que lui dire. Il ne se souvenait pas avoir été aussi embarrassé de sa vie.

— Mais, saperlipopette, c'est votre maison, non?... Si vous ne voulez pas y retourner, allez ailleurs. Evitez seulement de traîner dans les bistrots où vous ne faites que vous exciter davantage...

— Je sens que vous êtes fâché.

— Je ne suis pas fâché... Je voudrais seulement que vous cessiez de rabâcher sans fin les mêmes idées...

Maigret s'en voulait. Il avait peut-être tort de parler ainsi. Il est difficile, surtout au téléphone, de trouver les mots qu'il convient de dire à un homme qui envisage de tuer sa femme et son contremaître.

La situation était absurde et, par-dessus le marché, on aurait dit que Planchon avait des antennes. Si Maigret n'était pas vraiment fâché, il lui en voulait de le troubler avec cette histoire qu'il n'aurait pas osé raconter à ses collègues, par crainte que ceux-ci le prennent pour un naïf.

— Soyez calme, monsieur Planchon...

Il ne trouvait que de ces formules bêtes dont
on se sert pour les condoléances.

— N'oubliez pas de me rappeler demain... Et
dites-vous bien que ce que vous avez en tête
n'arrangerait rien, bien au contraire...

— Je vous remercie...

Le cœur n'y était pas. Planchon était déçu.
Il venait à peine de quitter son travail et sans
doute n'avait-il pas encore assez bu pour qu'un
certain décalage se produise et qu'il voie les
choses d'une certaine façon, comme le samedi
soir, par exemple.

A jeun, il devait être sans illusions. Quelle
image se faisait-il de lui-même, du rôle ridicule
ou odieux qu'il jouait dans une maison qui était
la sienne?

Son « Je vous remercie » avait été amer et
Maigret voulut parler encore, dut y renoncer
parce que son interlocuteur avait raccroché. Il
existait une autre solution, que l'homme avait à
peine mentionnée le samedi et qui inquiétait soudain le commissaire.

Est-ce que, maintenant que Planchon avait
précisé ses griefs en les racontant à quelqu'un,
maintenant qu'il ne pouvait plus garder d'illusions sur lui-même, il ne serait pas tenté d'en
finir en se détruisant?

Si Maigret avait su d'où il avait appelé, il lui
aurait téléphoné tout de suite. Mais pour lui dire
quoi?

Zut et zut! Ce n'était pas son affaire. Il

n'avait pas à intervenir. Il n'était pas chargé de remettre de l'ordre dans la vie des gens mais de retrouver ceux qui avaient commis un crime ou un délit.

Il travailla encore une heure, presque rageusement, à cette affaire de vol de bijoux qui allait probablement lui prendre des semaines. Il semblait établi que le voleur, chaque fois, était un client de l'hôtel où des bijoux disparaissaient. Les vols avaient eu lieu dans quatre hôtels différents, à deux ou trois jours d'intervalle.

Dans ces conditions, il paraissait facile d'étudier la liste des clients de ces hôtels et de mettre la main sur celui ou ceux qu'on retrouvait sur les différentes listes. Or, cela ne marchait pas. Et on n'obtenait pas davantage de résultats avec les signalements fournis par les concierges.

Des semaines? Il faudrait peut-être des mois et il était possible que l'épilogue ait lieu à Londres, à Cannes ou à Rome, à moins qu'on retrouve la trace des bijoux chez quelque trafiquant d'Anvers ou d'Amsterdam.

C'était pourtant moins déprimant que de s'occuper d'un Planchon. Maigret rentra chez lui en taxi, car il était tard. Il dîna, regarda la télévision, dormit, fut réveillé par l'habituelle odeur du café.

Au bureau, il grommela :

— Demande-moi le commissariat du XVIII°... Allô! Le XVIII°?... C'est toi, Bernard?... Rien

d'intéressant, la nuit dernière?... Non... Pas de
meurtres?... Pas de disparitions?... Ecoute! Je
voudrais que tu fasses surveiller discrètement un
pavillon qui se trouve tout en haut de la rue Tholozé, juste au bas des marches... Oui... Pas vingt-
quatre heures sur vingt-quatre, bien entendu...
Seulement la nuit... Qu'on jette un coup d'œil
à chaque ronde... Qu'on s'assure, par exemple,
que la camionnette d'un entrepreneur de peinture est dans la cour... Je te remercie... Si, la
nuit, on ne l'y voyait pas, qu'on me téléphone
chez moi... Rien de précis... Une idée en l'air...
Tu sais comment ça va... Merci, vieux!...

Encore une journée de routine, des gens à interroger, non seulement au sujet des bijoux,
mais à propos de deux ou trois affaires de moin-
dre importance.

Dès six heures, il guetta le téléphone. Deux
fois celui-ci sonna, mais ce n'était pas Planchon. A six heures et demie, il n'avait pas encore
appelé, ni à sept heures et Maigret s'en voulut
d'être nerveux.

Il ne pouvait s'être rien passé pendant la
journée. Cela paraissait invraisemblable que, pro-
fitant de ce que sa fille était à l'école, par exemple, Planchon soit venu tuer sa femme, puis
qu'il ait attendu le retour de Prou pour l'abat-
tre à son tour.

Au fait, Maigret ne lui avait pas demandé de
quelle arme il envisageait de se servir. L'entrepreneur de peinture ne lui avait-il pas déclaré

qu'il avait préparé son double crime dans les moindres détails?

Il ne devait pas posséder de revolver et, même s'il en avait un, il était peu probable qu'il s'en serve. Les hommes de sa sorte, la plupart des gens qui ont un métier manuel, ont plutôt tendance à utiliser un de leurs outils familiers.

Quel outil un peintre en bâtiments...

Il ne pouvait s'empêcher de rire tout seul en pensant à un pinceau.

A sept heures et quart, on ne l'avait toujours pas appelé et il rentra chez lui. Le téléphone ne sonna pas pendant le dîner, ni au cours de la soirée.

— Tu y penses encore? lui demanda sa femme.

— Pas tout le temps, bien sûr, mais cela me tracasse...

— Tu m'as dit une fois qu'il est rare que les gens qui parlent beaucoup agissent.

— Rare, certainement... Mais cela arrive...

— Tu as pris froid?

— Peut-être dimanche, à Montmartre... Je parle du nez?...

Elle alla lui chercher une aspirine et il dormit toute sa nuit, trouva, à son réveil, la pluie derrière les vitres.

Il attendit dix heures du matin pour appeler le XVIIIᵉ.

— Bernard?

— Oui, patron...

— Rien rue Tholozé?

— Rien... L'auto n'a pas quitté la cour...

Ce n'est qu'à sept heures du soir que, sans nouvelles, il se décida à téléphoner rue Tholozé où une voix d'homme qu'il ne connaissait pas lui répondit :

— Planchon?... C'est ici, oui.. Mais il n'y est pas... Il n'y sera pas ce soir non plus.

CHAPITRE

4

MAIGRET AVAIT
l'impression que son interlocuteur avait tenté de
lui raccrocher au nez, qu'au dernier moment il
avait une hésitation, comme une méfiance. Le
commissaire s'empressait de demander :

— Et Mme Planchon?

— Elle est sortie.

— Elle ne sera pas chez elle ce soir non plus?

— Elle doit rentrer d'un moment à l'autre.
Elle est allée faire une course dans le quartier...

Encore un silence. L'appareil était si sensible
que Maigret entendait la respiration de Prou.

— Qu'est-ce que vous lui voulez?... Qui êtes-
vous?...

Il faillit se faire passer pour un client, raconter n'importe quoi. Après un temps, il préféra
raccrocher.

Il n'avait jamais vu celui à qui il venait de parler au bout du fil. Le peu qu'il en savait, c'était par Planchon qu'il l'avait appris et celui-ci avait toutes les bonnes raisons d'être partial.

Or, tout de suite, dès qu'il avait entendu le son de sa voix, Maigret avait ressenti de l'antipathie pour l'amant de Renée et il s'en voulait. Ce n'était pas au récit de l'entrepreneur de peinture que cette antipathie était due. C'était à la voix elle-même, à l'accent traînard et agressif. Il aurait juré que Prou, là-bas, regardait l'appareil avec méfiance, qu'il ne répondait jamais directement aux questions.

C'était un genre d'hommes qu'il connaissait bien, de ceux qui ne se laissent pas démonter facilement, qui vous toisent, l'œil gouailleur, et qui, à la première question embarrassante, froncent d'épais sourcils.

Avait-il vraiment d'épais sourcils? Et des cheveux plantés bas sur le front?

De mauvaise humeur, Maigret rangea ses papiers, suivit sa routine en appelant d'abord Joseph.

— Plus personne pour moi?

Puis il passait la tête dans le bureau des inspecteurs.

— Si on me demande, je suis chez moi...

Sur le quai, il ouvrit son parapluie. Sur la plate-forme de l'autobus, il se trouva collé à quelqu'un qui portait un imperméable ruisselant.

Avant de se mettre à table, il appela à nou-

veau la rue Tholozé. Il n'était content de rien,
ni de personne. Il en voulait à Planchon, qui
était venu le troubler avec son histoire à la fois
ridicule et pathétique, il en voulait à Roger
Prou, Dieu sait pourquoi, il s'en voulait à lui-
même. Il en voulait presque à sa femme qui le regardait d'un œil inquiet.

Etait-ce une habitude, là-bas, de ne pas répondre tout de suite? On aurait dit que le téléphone sonnait dans le vide. Puis il se souvenait
que l'appareil se trouvait dans le bureau. Sans
doute ne mangeait-on pas dans la salle à manger mais dans la cuisine, de sorte qu'il y avait
un certain chemin à parcourir.

— Allô!...

Quelqu'un, enfin! Une femme.

— Mme Planchon?

— Oui. Qui est à l'appareil?

Elle parlait naturellement, d'une voix assez
grave qui n'était pas déplaisante.

— J'aurais voulu parler à Léonard...

— Il n'est pas ici...

— Vous ne savez pas quand il rentrera?... Je
suis un de ses amis...

Cette fois, comme avec Prou, il y eut un silence. Roger Prou était-il près d'elle et s'inter-
rogeaient-ils du regard?

— Quel ami?

— Vous ne me connaissez pas... Je devais le
rencontrer ce soir...

— Il est parti...

— Pour longtemps?

— Oui.

— Vous pouvez me dire quand il reviendra?

— Je n'en sais rien...

— Il est à Paris?

Nouvelle hésitation.

— S'il y est, il ne m'a pas laissé son adresse...
Il vous doit de l'argent?...

Maigret raccrocha une fois encore. Et Mme Maigret, qui avait entendu ce qu'il disait, questionnait en lui servant sa soupe :

— Il a disparu?

— Cela y ressemble.

— Tu crois qu'il s'est suicidé?

Il bougonna :

— Je ne crois rien...

Il revoyait son client dans le salon, les phalanges blanches à force de s'étreindre les doigts,
il revoyait surtout ses yeux clairs qui se fixaient
sur lui avec une expression suppliante.

Planchon, qui avait bu, était sous pression. Il
avait beaucoup parlé. Maigret s'y était laissé
prendre et il y avait des tas de questions précises qu'il aurait dû lui poser et qu'il ne lui avait
pas posées.

Son dîner fini, il téléphona à Police-secours.
C'était l'heure où les hommes de garde cassent
la croûte en surveillant leurs appareils et celui
qui répondit avait la bouche pleine.

— Non, patron... Pas de suicide depuis que
je suis arrivé... Attendez que je consulte les fi-

ches de la journée... Un instant... Une vieille
femme qui s'est jetée par la fenêtre, boulevard
Barbès... Un macchabée retiré de la Seine un
peu avant 5 heures, au pont de Saint-Cloud...
Son état laisse supposer qu'il a séjourné une dizaine de jours dans l'eau... Je ne vois rien d'autre...

On était mercredi soir. Le lendemain matin,
dans son bureau, Maigret commença à griffonner
sur une feuille de papier.

C'était le samedi soir qu'il avait trouvé Planchon l'attendant chez lui, boulevard Richard-
Lenoir.

Le dimanche matin, le commissaire avait téléphoné une première fois rue Tholozé et
Mme Planchon lui avait répondu que son mari venait de sortir avec sa fille.

C'était vrai, l'entrepreneur devait le lui con-
firmer par la suite. Isabelle et son père
étaient allés, la main dans la main, à la Foire
aux Puces, à Saint-Ouen.

Dans l'après-midi du même dimanche, Maigret et sa femme passaient en se promenant devant le pavillon. La camionnette n'était pas dans
la cour. On ne voyait personne à travers les rideaux, mais il devait apprendre, toujours par
Planchon, que celui-ci était dans la maison,
où il dormait.

Lundi matin : Janvier et Lapointe, usant de
moyens plus ou moins légaux, se présentaient
rue Tholozé et, sous l'œil méfiant de Renée, vi-

sitaient toutes les pièces qu'ils faisaient mine
de mesurer.

L'après-midi, Léonard Planchon téléphonait
au Quai des Orfèvres, d'un café de la place des
Abbesses, disait-il, et, outre un murmure de
voix et des chocs de verres, on entendait le cliquetis d'une caisse enregistreuse.

Les derniers mots du bonhomme avaient
été :

— *Je vous remercie !*

Il n'avait pas parlé d'un voyage ni, à plus
forte raison, d'un suicide. C'était le samedi qu'il
avait vaguement fait allusion à cette solution,
qu'il rejetait afin de ne pas laisser Isabelle aux
mains de Renée et de son amant.

Le mardi, pas de téléphone. A tout hasard,
pour mettre sa conscience en paix, Maigret demandait à la police du XVIII° de surveiller la
maison de la rue Tholozé pendant la nuit. Pas
une surveillance continue. Les agents, au cours
de leurs rondes, jetaient seulement un coup
d'œil pour s'assurer qu'il ne se passait rien
d'anormal et que la camionnette était toujours
dans la cour. Elle y était.

Mercredi enfin. Rien. Pas d'appel Planchon.
Et quand le commissaire téléphonait, vers sept heures du soir, Roger Prou lui répondait que l'entrepreneur ne rentrerait pas de la soirée. Il restait vague, comme sur le qui-vive. Renée, à ce
moment-là, n'était pas dans la maison non plus.

Mais, comme son amant l'avait annoncé,

elle s'y trouvait une heure plus tard et, de ses
réponses, il découlait qu'elle ne s'attendait pas à
revoir son mari avant longtemps.

Il assista au rapport, comme chaque matin,
évitant toujours de parler de cette affaire qui
n'existait pas officiellement. Un peu après
dix heures, dans le crachin glacé, il quitta la
P.J., prit un taxi et se fit conduire rue Tholozé.

Il ne savait pas encore comment il allait s'y
prendre. Il n'avait aucun plan précis.

— J'attends? lui demanda le chauffeur.

Il préféra payer la course, car il risquait d'en
avoir pour un certain temps.

La camionnette n'était pas dans la cour, mais
un ouvrier en blouse blanche maculée de peinture allait et venait dans la remise. Maigret se
dirigea vers le pavillon, poussa le bouton de sonnerie. Une fenêtre s'ouvrit au premier étage,
juste au-dessus de sa tête, et il ne bougea pas.
Puis il y eut des pas dans l'escalier, la porte
s'entrouvrit, comme pour Janvier et Lapointe,
il aperçut des cheveux noirs en désordre, un
œil presque aussi noir, un visage à la peau très
blanche, la tache rouge d'un peignoir.

— Qu'est-ce que c'est?

— Je voudrais vous parler, madame Planchon.

— A quel sujet?

La porte restait entrebâillée de quinze centi-
mètres à peine.

— Au sujet de votre mari...

— Il n'est pas ici...

— C'est justement parce que j'ai besoin de le voir que je désire vous parler...

— Qu'est-ce que vous lui voulez?

Il se décida enfin à prononcer :

— Police...

— Vous avez une carte?

Il lui montra sa médaille. Changeant d'attitude, elle ouvrit la porte plus grande, s'effaça pour le laisser passer.

— Je m'excuse... Je suis seule dans la maison et, ces derniers jours, il y a eu plusieurs coups de téléphone mystérieux...

Elle l'épiait, se demandant peut-être si c'était lui qui avait téléphoné.

— Entrez !... La maison est encore en désordre...

Elle le conduisait dans le living-room, où un aspirateur électrique se trouvait au milieu du tapis.

— Qu'est-ce que mon mari a fait?

— Je dois prendre contact avec lui pour lui poser quelques questions...

— Il s'est battu?

Elle lui désignait une chaise, hésitait à s'asseoir elle-même, tenant le peignoir croisé devant elle.

— Pourquoi me demandez-vous ça?

— Parce qu'il passe ses soirées et une partie de ses nuits dans les bistrots et que, quand il a bu, il a tendance à devenir violent...

— Il vous a déjà frappée?

— Non... D'ailleurs, je ne me serais pas laissée faire... Mais il lui est arrivé de me menacer...

— Vous menacer de quoi?

— D'en finir avec moi... Il ne précisait pas...

— Cela s'est produit plusieurs fois?

— Plusieurs fois, oui...

— Vous savez où il est en ce moment?

— Je n'en sais rien et je ne tiens pas à le savoir...

— Quand l'avez-vous vu pour la dernière fois?

Elle prit le temps de réfléchir.

— Attendez... Nous sommes jeudi... Hier mercredi... Avant-hier mardi... C'était lundi soir...

— A quelle heure?

— Tard le soir...

— Vous ne vous souvenez pas de l'heure?

— Il devait être aux alentours de minuit.

— Vous étiez couchée?

— Oui.

— Seule?

— Non! Je n'ai aucune raison de vous mentir. Tout le monde, dans le quartier, est au courant de la situation et j'ajoute que tout le monde nous approuve, Roger et moi... Sans l'obstination de mon mari, il y a longtemps que nous serions mariés...

— Vous voulez dire que vous avez un amant?

Non sans un certain orgueil, elle répondit en le regardant dans les yeux :

— Oui.

— Il vit dans cette maison?

— Et après? Quand un homme comme Planchon se raccroche et refuse le divorce, il faut bien que...

— Depuis longtemps?

— Cela fera bientôt deux ans...

— Votre mari s'accommodait de cette situation?

— Il y a belle lurette qu'il n'est plus mon mari que sur le papier... Cela fait longtemps aussi qu'il n'est plus un homme... Je ne sais pas ce que vous lui voulez... Ce qu'il a fait en dehors d'ici ne me regarde pas... Ce que je peux vous dire, sans crainte d'être démentie, c'est que c'est un ivrogne de qui on ne peut plus rien attendre... Sans Roger, l'entreprise n'existerait plus...

— Permettez-moi de revenir à la soirée de lundi... Vous étiez couchée dans cette chambre...

La porte en était entrouverte et on apercevait un édredon orange sur le lit.

— Oui...

— Avec cet homme que vous appelez Roger...

— Roger Prou, un brave garçon, qui ne boit pas et qui ne regarde pas à sa peine...

Elle parlait de lui avec fierté et on devinait qu'elle aurait sauté à la tête de quiconque aurait osé en dire du mal.

— Votre mari avait dîné avec vous?

— Non. Il n'était pas rentré...

— Cela lui arrivait souvent?

— Assez souvent... Je commence à savoir com-

ment cela se passe avec les ivrognes... Pendant
un temps, ils gardent encore une certaine mesure, une certaine dignité... Puis ils finissent
par boire tellement qu'ils n'ont plus faim et
qu'ils remplacent leurs repas par des petits verres...

— Votre mari en était à ce point-là?

— Oui.

— Il continuait pourtant à travailler?... Ne
risquait-il pas de tomber d'une échelle ou d'un
échafaudage?...

— Il ne buvait pas, ou presque pas, de la journée... Quant à son travail !... Si on n'avait dû
compter que sur lui...

— Vous avez une fille, je crois?

— Comment le savez-vous?... Je suppose que
vous avez questionné la concierge?... Cela m'est
égal, puisque nous n'avons rien à cacher... J'ai
une fille, oui... Elle va avoir sept ans...

— Lundi, donc, vous avez dîné ensemble, ce
René Prou, vous et votre fille...

— Oui...

— Dans cette pièce?

— Dans la cuisine... Je ne vois pas la différence que cela peut faire... Nous mangeons presque toujours dans la cuisine... C'est un crime?

Elle commençait à s'impatienter, déroutée par
le cours que prenait l'interrogatoire.

— Je suppose que votre fille s'est couchée la
première?...

— Bien entendu.

— Au premier étage?

Il était évident qu'elle s'étonnait de le trouver si bien renseigné. Avait-elle déjà fait un rapprochement entre sa visite et celle des deux hommes qui étaient venus mesurer les pièces du pavillon?

En tout cas, elle ne s'affolait pas, continuait à observer son visiteur sans jamais détourner le regard, et soudain ce fut son tour de poser une question.

— Dites donc, est-ce que vous ne seriez pas le fameux commissaire Maigret?

Il fit oui de la tête et elle fronça les sourcils. Qu'un policier quelconque, un inspecteur du quartier, par exemple, vienne s'informer des faits et gestes de son mari, n'était pas tellement extraordinaire étant donnée la vie que Planchon menait le soir. Mais que Maigret en personne se dérange...

— Cela doit être important, dans ce cas...

Et, avec une certaine ironie, elle lança :

— Vous n'allez pas me dire qu'il a tué quelqu'un?

— Vous l'en croyez capable?

— Je le crois capable de tout... Quand un homme en arrive à ce point-là...

— Il était armé?

— Je n'ai jamais vu d'arme dans la maison...

— Il avait des ennemis?

— A ma connaissance, son ennemie, c'était moi. Dans son esprit tout au moins. Il me haïssait. C'est par haine, uniquement, qu'il s'obstinait à rester ici dans des conditions qu'aucun homme n'aurait acceptées... Ne fût-ce que pour sa fille, il aurait dû comprendre...

— Revenons à lundi... A quelle heure vous êtes-vous couchés, Roger Prou et vous?

— Attendez... Je me suis couchée la première...

— A quelle heure?

— Vers dix heures... Roger travaillait au bureau, à établir des factures...

— C'était lui qui s'occupait des écritures et des questions financières?

— D'abord, s'il ne l'avait pas fait, il n'y aurait eu personne pour le faire, car mon mari n'en était plus capable... Ensuite, il a assez mis de son argent...

— Vous voulez dire qu'ils étaient associés, Planchon et lui?

— Pratiquement... Il n'y avait pas de papiers entre eux... Ou plutôt ce n'est qu'il y a une quinzaine de jours qu'ils ont signé un papier...

Elle s'interrompit et gagna la cuisine où quelque chose bouillait sur le feu, revint presque tout de suite.

— Qu'est-ce que vous voulez savoir d'autre? J'ai mon ménage à faire, mon déjeuner... Tout à l'heure, ma fille reviendra de l'école...

— Je regrette de vous retenir encore un moment...

— Vous ne me dites toujours pas ce que mon mari a fait...

— J'espère que vos réponses m'aideront à le retrouver... Si je comprends bien, votre amant avait mis de l'argent dans l'affaire?...

— Chaque fois qu'il en manquait pour payer les traites...

— Et, il y a quinze jours, ils ont signé un papier?... Quelle sorte de papier?

— Un papier disant que, moyennant le versement d'une certaine somme, Prou devenait propriétaire de l'affaire...

— Vous connaissez le montant de cette somme?

— C'est moi qui ai tapé le document...

— Vous tapez à la machine?

— Si l'on peut dire... Depuis des années, il y a une vieille machine au bureau... Planchon l'a achetée alors que je n'étais pas encore enceinte, quelques mois après notre mariage... Je m'ennuyais... Je voulais m'occuper... Je me suis mise, à deux doigts, à taper les factures, puis des lettres aux clients et aux fournisseurs...

— Vous continuez?

— Quand c'est nécessaire...

— Vous avez ce papier?

Elle le regarda avec plus d'attention.

— Je me demande si vous avez le droit de me demander tout ça... Je me demande même si je suis obligée de vous répondre...

— Pour le moment, rien ne vous y oblige...

— Pour le moment?

— J'ai toujours la possibilité de vous convoquer à mon bureau comme témoin...

— Comme témoin de quoi?

— Mettons de la disparition de votre mari...

— Ce n'est pas une disparition.

— Qu'est-ce que c'est?

— Il est parti, un point c'est tout. Voilà assez longtemps qu'il aurait dû le faire...

Elle se levait néanmoins.

— Je ne vois pas pourquoi je vous cacherais quoi que ce soit... Si ce papier vous intéresse, je vais vous le chercher...

Elle se dirigeait vers le bureau où on l'entendait ouvrir un tiroir. Elle revenait quelques instants plus tard avec une feuille à la main. C'était du papier à en-tête de Léonard Planchon, entrepreneur de peinture. Le texte avait été tapé à l'aide d'un ruban violet et la frappe était irrégulière, plusieurs lettres se chevauchaient, il manquait un espace entre deux ou trois mots.

Je soussigné Léonard Planchon cède à Roger Prou, moyennant la somme de trente mille nouveaux francs (trente mille) ma part dans l'entreprise de peinture en bâtiments, sise rue Tholozé, à Paris, que je possède conjointement avec ma femme, Renée, née Babaud.

Cette cession comporte le bail de l'immeuble, le matériel et le mobilier, à l'exclusion de mes objets personnels.

Le document était daté du 28 décembre...

— D'habitude, objecta Maigret en levant les yeux, les actes de cette sorte se signent devant notaire. Pourquoi ne l'avez-vous pas fait?

— Parce que c'était inutile de payer des frais... Quand les gens sont de bonne foi...

— Votre mari était donc de bonne foi?

— Nous l'étions, nous, en tout cas...

— Il y a près de trois semaines que cette pièce a été signée... Planchon, depuis, n'était donc plus pour rien dans l'affaire... Je me demande pourquoi il continuait à y travailler...

— Et pourquoi continuait-il à vivre dans la maison alors qu'il n'était rien pour moi depuis bien plus longtemps?

— En somme, il travaillait comme ouvrier?

— Si vous voulez...

— On le payait?

— Je suppose... Cela regarde Roger...

— Les trois millions d'anciens francs ont été versés par chèque?

— En billets.

— Ici?

— Pas dans la rue, bien sûr!

— Devant témoin?

— Nous étions tous les trois. Nos affaires personnelles ne regardent personne.

— Aucune condition n'était attachée à cet arrangement?

Cette idée parut la frapper et elle resta un instant silencieuse.

— Il y en avait une, mais il ne l'a pas observée...

— Laquelle?

— Qu'il s'en irait et qu'il me laisserait enfin avoir mon divorce.

— Il est quand même parti...

— Après trois semaines!...

— Revenons à lundi...

— Encore? Cela va durer longtemps?

— J'espère que non... Vous étiez couchée... Prou est venu vous rejoindre... Vous vous êtes éveillée quand il s'est couché?

— Oui.

— Vous avez regardé l'heure?

— Si vous tenez à le savoir, nous avons eu autre chose à faire...

— Vous dormiez tous les deux quand votre mari est rentré?

— Non...

— Il a ouvert la porte avec sa clef?

— Sûrement pas avec un stylo à bille...

— Il aurait pu être trop ivre pour ouvrir la porte lui-même.

— Il était ivre, mais il a néanmoins trouvé le trou de la serrure...

— Où couchait-il d'habitude?

— Ici... Sur un lit de camp...

Elle se levait une fois de plus, ouvrait un placard et désignait un lit de camp replié.

— Il était déjà dressé?

— Oui... Je le dressais moi-même avant de me

coucher pour éviter qu'il fasse du bruit pendant
une demi-heure...

— Lundi, il ne s'est pas couché?

— Non... Nous l'avons entendu monter au
premier...

— Pour aller embrasser sa fille?

— Il n'allait jamais embrasser sa fille quand il
était dans cet état-là.

— Qu'est-il allé faire?

— Nous nous le demandions. Nous écoutions.
Il a ouvert l'armoire du palier qui contient
ses affaires. Puis il est entré dans la petite chambre qui sert de grenier, car le pavillon n'a pas de
grenier. Enfin, il y a eu un vacarme dans l'escalier et j'ai dû retenir Roger qui voulait aller voir
ce qui se passait.

— Que se passait-il?

— Il descendait ses valises.

— Combien de valises?

— Deux. Nous n'en avions d'ailleurs que deux
dans la maison, car nous ne voyagions pour ainsi
dire jamais.

— Vous ne lui avez pas parlé? Vous ne l'avez
pas vu partir?

— Si. Quand il est redescendu dans la salle
à manger, je me suis levée en faisant signe à Roger de rester où il était, pour éviter les scènes...

— Vous n'aviez pas peur? Vous m'avez dit
que, lorsqu'il avait bu, votre mari était violent
et qu'il lui était arrivé de vous menacer...

— Roger était à portée de voix...

— Comment s'est passée cette dernière entrevue?

— Déjà à travers la porte, j'avais entendu
qu'il parlait tout seul et qu'il semblait ricaner...
Quand je suis entrée, il m'a regardée des pieds
à la tête et il s'est mis à rire...

— Il était très ivre?

— Il ne l'était pas de la même façon que d'habitude... Il ne menaçait pas... Il ne prenait pas
des attitudes dramatiques et il ne pleurait pas
non plus... Vous voyez ce que je veux dire?... Il
avait l'air satisfait de lui et on aurait pu croire
qu'il était en train de nous faire une bonne
farce...

— Il n'a pas parlé?

— Il a d'abord lancé :

» — Et voilà, ma vieille !

» Il me montrait fièrement les deux valises.

Si elle ne quittait pas Maigret des yeux, celui-ci, de son côté, était attentif aux moindres
tressaillements de son visage. Elle devait s'en
rendre compte, mais cela ne paraissait pas la gê-
ner.

— C'est tout?

— Non... Il a encore prononcé une phrase ta-
rabiscotée qui signifiait à peu près :

» — Tu peux les fouiller pour t'assurer que
je n'emporte rien qui t'appartienne...

» Il mangeait une partie de ses mots, parlait
plutôt pour lui-même que pour moi.

— Vous avez dit qu'il paraissait satisfait?

— Oui. Je le répète. Comme s'il nous jouait un bon tour. Je lui ai demandé :

» — Où vas-tu?

» Et il a fait un geste si large qu'il a failli perdre l'équilibre.

» — Tu as un taxi à la porte?

» Il m'a regardée en ricanant une fois de plus et ne m'a pas répondu. Il avait ses valises à la main quand je l'ai retenu par son pardessus.

» — Ce n'est pas tout ça, mais j'ai besoin de connaître ton adresse pour l'action en divorce... »

— Qu'a-t-il répondu?

— Je m'en souviens parfaitement car, un peu plus tard, j'ai répété sa phrase à Roger :

» — Tu l'auras, ma belle... Plus tôt que tu ne le penses... »

— Il n'a pas parlé de sa fille?

— Il n'a rien dit d'autre.

— Il n'est pas allé l'embrasser dans son lit?

— Nous l'aurions entendu, car la chambre d'Isabelle est juste au-dessus de notre tête et le plancher craque.

— Il s'est dirigé vers la porte avec ses deux valises... Elles étaient lourdes?

— Je ne les ai pas soupesées... Assez lourdes, mais pas trop, car il n'a emporté que ses vêtements, son linge et ses objets de toilette...

— Vous l'avez accompagné jusqu'au seuil?

— Non.

— Pourquoi?

— Parce que j'aurais eu l'air de l'escorter...

— Vous ne l'avez pas vu traverser la cour?

— Les volets étaient fermés. Je me suis contentée, un peu plus tard, d'aller mettre le verrou à la porte d'entrée...

— Vous n'avez pas eu peur qu'il parte avec la camionnette?

— J'aurais entendu le bruit du moteur...

— Vous n'avez entendu aucun bruit de moteur? Il n'y avait pas de taxi au bord du trottoir?

— Je n'en sais rien. J'étais trop heureuse de le savoir enfin hors de la maison. J'ai couru dans la chambre et, si vous voulez tout savoir, je me suis jetée dans les bras de Roger qui était levé et qui avait tout entendu à travers la porte...

— Ceci s'est passé lundi soir, n'est-ce pas?

— Lundi, oui...

Ce n'était que le mardi que Maigret avait demandé au commissariat du XVIII° de surveiller discrètement le pavillon. A en croire Renée Planchon, il était déjà trop tard.

— Vous n'avez aucune idée de l'endroit où il a pu aller?

Maigret croyait encore entendre les derniers mots que Planchon lui avait dit au téléphone, le même lundi, vers six heures du soir, alors qu'il se trouvait dans un bistrot de la place des Abbesses.

— *Je vous remercie...*

Il lui avait semblé, au moment même, qu'il y avait dans la voix de l'homme une certaine amertume, ou une certaine ironie. C'était si vrai que,

s'il avait su où l'appeler, il l'aurait fait tout de
suite.

— Votre mari n'avait pas de parents à Paris?

— Ni à Paris, ni ailleurs... Je le sais d'autant
mieux que sa mère était du même village que
moi, Saint-Sauveur, en Vendée...

Elle devait ignorer que Planchon avait vu Maigret et lui avait fait des confidences. Or, tout ce
qu'elle disait correspondait à ce que le commissaire savait déjà.

— Vous pensez qu'il est retourné là-bas?

— Pour quoi faire? C'est à peine s'il connaît
l'endroit pour y être allé deux ou trois fois avec
sa mère quand il était petit et, s'il lui reste de la
famille, ce sont de vagues cousins qui ne se sont
jamais occupés de lui...

— Vous ne lui connaissez pas d'amis?

— Du temps où il était encore un homme
comme un autre, il était timide, sauvage, au
point que je me demande encore comment il s'y
est pris pour m'adresser la parole...

Maigret tenta une petite épreuve.

— Où l'avez-vous rencontré pour la première
fois?

— Un peu plus bas dans la rue, au *Bal des
Copains*... Je n'y avais jamais mis les pieds...
Je venais d'arriver à Paris et je travaillais dans
le quartier... J'aurais dû me méfier...

— De quoi?

— D'un homme avec une infirmité...

— Qu'est-ce que son infirmité a à voir avec son caractère?

— Je ne sais pas... Je me comprends... Ces gens-là sont tout le temps à y penser, à se sentir différents des autres... Ils se figurent que tout le monde les regarde et se moque d'eux... Ils sont plus susceptibles que les autres, jaloux, aigris...

— Il était déjà aigri quand vous l'avez épousé?

— Je ne m'en suis pas aperçue tout de suite...

— Combien de temps après?

— Je ne m'en souviens pas... Il ne voulait voir personne... Nous sortions à peine... Nous vivions ici comme des prisonniers... Cela lui plaisait, à lui... Il était heureux...

Elle s'arrêtait de parler, le regardait comme pour lui signifier que cela avait assez duré.

— C'est tout? questionnait-elle.

— C'est tout pour le moment. J'aimerais que vous m'avertissiez dès que vous recevrez de ses nouvelles... Je vous laisse mon numéro de téléphone...

Elle prit la carte qu'il lui tendait et la posa sur la table.

— Ma fille va rentrer dans quelques minutes...

— Elle ne s'est pas étonnée du départ de son père?

— Je lui ai dit qu'il était en voyage...

Elle le reconduisait jusqu'à la porte et il sembla à Maigret qu'elle était soucieuse, que c'était

elle, à présent, qui avait envie de le retenir pour
lui poser des questions. Mais lesquelles?

— Au revoir, monsieur le commissaire...

Il n'était pas très satisfait non plus et, les
mains dans les poches, le col du pardessus relevé,
il descendit la rue Tholozé, croisa une petite fille
qui avait deux tresses blondes et serrées, se retourna pour la suivre des yeux et la vit entrer
dans la cour.

Il aurait bien aimé questionner Isabelle aussi.

5

LA FEMME DE Planchon ne l'avait pas invité à retirer son pardessus et Maigret était resté près d'une heure ainsi dans la maison surchauffée. Maintenant, dans la pluie fine, comme faite d'invisibles cristaux de glace, le froid le saisissait. Depuis la promenade du dimanche dans ce même quartier, il avait l'impression de couver un rhume et c'est ce qui lui donna l'idée, au lieu de descendre la rue Lepic pour trouver un taxi place Blanche, de tourner à gauche vers la place des Abbesses.

C'était de là que l'entrepreneur de peinture lui avait téléphoné le lundi soir, ce qui avait constitué leur dernier contact.

Bien plus que la place du Tertre, devenue une trappe à touristes, la place des Abbesses, avec

sa bouche de métro, son théâtre de l'Atelier qui
avait l'air d'un jouet ou d'un décor, ses bistrots,
ses boutiques, représentait aux yeux du commissaire le vrai Montmartre populaire et il se souvenait que, quand il l'avait découverte, peu après
son arrivée à Paris, par un matin frileux mais
ensoleillé de printemps, il s'était cru transporté
dans un tableau d'Utrillo.

Cela grouillait de petit peuple, des gens d'alen-
tour qui allaient et venaient comme ceux d'un
gros bourg un jour de marché, et on aurait dit que,
comme dans un village aussi, il existait entre
eux un air de famille.

Il savait par expérience que certains, parmi
les vieux, n'avaient pour ainsi dire jamais mis
les pieds hors de l'arrondissement et il y avait
encore des boutiques qui se transmettaient de
père en fils depuis plusieurs générations.

Il regarda par la vitre de plusieurs bistrots
avant d'apercevoir, sur le comptoir d'un bureau
de tabac, une petite caisse enregistreuse qui paraissait neuve.

C'est là qu'il entra, se souvenant des bruits
entendus pendant sa conversation avec Planchon.

Il retrouvait une bonne chaleur, une odeur familière de vin et de cuisine. Les tables, sept ou
huit au plus, étaient couvertes de nappes en papier et une ardoise annonçait qu'il y avait de
l'andouillette et de la purée de pommes de terre
à déjeuner.

Deux maçons en blouse mangeaient déjà, au

fond. La patronne, vêtue de noir, était assise à
la caisse devant un fond de paquets de cigarettes,
de cigares et de billets de la Loterie nationale.

Un garçon aux manches de chemise retrous-
sées jusqu'au coude, au tablier bleu, servait, au
comptoir, du vin et des apéritifs.

Ils étaient une dizaine à boire et tous les regards se tournèrent vers lui, il y eut un assez
long silence avant que les conversations repren-
nent.

— Un grog! commanda-t-il.

Mme Maigret ne lui avait-elle pas confirmé
que sa voix n'avait pas le même timbre que d'habitude? Il allait probablement être enroué.

— Citron?

— Oui, s'il vous plaît...

Au fond, à gauche, près de la cuisine, il apercevait une cabine téléphonique à la porte vitrée.

— Dites-moi... Est-ce que vous avez un client
avec un bec-de-lièvre?...

Il savait que ses voisins écoutaient, même ceux
qui lui tournaient le dos. Il était presque sûr
qu'ils avaient deviné qu'il appartenait à la police.

— Un bec-de-lièvre... répétait l'homme en
manches de chemise qui avait posé le grog sur
le zinc et qui maintenant transvasait du vin d'une
bouteille dans une autre.

Il hésitait à répondre, par une sorte de solida-
rité.

— Un petit... D'un blond tirant sur le roux...

— Qu'est-ce qu'il a fait?

Un des consommateurs, qui avait l'air d'un
voyageur de commerce, intervenait :

— Tu es naïf, Léon !... Si tu crois que le commissaire Maigret va te le dire...

Il y eut un éclat de rire. Non seulement on
avait deviné qu'il appartenait à la police, mais
on l'avait reconnu.

— Il a disparu... murmura Maigret.

— Popeye ?

Alors, Léon expliquait :

— Nous l'appelons Popeye, faute de savoir
son nom et parce qu'il ressemble au personnage
des dessins animés...

Portant la main à ses lèvres comme pour les
couper en deux, il ajoutait :

— Le trou paraît fait exprès pour y planter
une pipe...

— C'est un habitué ?

— Pas vraiment un habitué, puisqu'on ne sait
pas qui il est, encore qu'il soit sûrement, du quartier... Mais il venait souvent, presque tous les
soirs...

— Il est venu lundi ?

— Attendez... Nous sommes jeudi... Mardi,
je suis allé à l'enterrement de la vieille Nana...
C'était la marchande de journaux du coin...
Lundi... Oui... Il est venu lundi...

— Il m'a même demandé un jeton de téléphone,
interrompit la patronne à la caisse.

— Vers six heures ?

— C'était un peu avant le dîner...

— Il n'a parlé à personne?

— Il ne parlait jamais à personne... Il se tenait au bout du comptoir, à peu près où vous êtes, et il commandait un premier cognac... Il restait là, plongé dans ses pensées qui ne devaient pas être gaies, car il avait l'air plutôt lugubre...

— Il y avait beaucoup de monde, lundi soir?

— Moins qu'à présent... Le soir, on ne fait pas le restaurant... Des clients jouaient à la belote à la table de gauche...

C'était celle où les deux maçons étaient en train de manger de l'andouillette grillée et cela faisait envie au commissaire. Certains plats paraissent toujours meilleurs au restaurant, surtout dans les petits bistrots, que chez soi.

— Combien de cognacs a-t-il bu?

— Trois ou quatre, je ne sais plus... Tu le sais, toi, Mathilde?

— Quatre...

— A peu près sa ration... Il restait plus ou moins longtemps... Certaines fois, il lui est arrivé de revenir vers neuf ou dix heures et, dans ces cas-là, il n'était pas très beau... Je suppose qu'il faisait la tournée des zincs du quartier...

— Il ne s'est jamais mêlé aux conversations?

— Pas à ma connaissance... Quelqu'un lui a déjà parlé, ici?

Ce fut le voyageur de commerce qui prit encore la parole.

— J'ai essayé, une fois, et il m'a regardé

comme s'il ne me voyait pas... Il est vrai qu'il
était déjà mûr...

— Il ne lui arrivait pas de faire du tapage?

— Ce n'était pas le type à ça... Plus il avait
bu, plus il était calme... Je jurerais que je l'ai
vu pleurer, seul à son bout de comptoir...

Maigret prit un second grog.

— Qui est-ce? lui demandait à son tour le garçon au tablier bleu.

— Un petit entrepreneur de peinture de la
rue Tholozé...

— Je vous disais bien qu'il était du quartier...
Vous croyez qu'il s'est suicidé?...

Maigret ne croyait rien, surtout maintenant,
après son long entretien avec Renée. Comme
Janvier l'avait dit — ou bien était-ce Lapointe? —
c'était moins à une femme qu'à une femelle
qu'elle faisait penser, une femelle qui s'accroche
à son mâle et qui, au besoin, le défend féroce-
ment.

Elle ne s'était pas troublée. Elle avait répondu
à toutes ses questions et, si parfois elle avait hésité, c'était peut-être parce qu'elle n'était pas
très intelligente et qu'elle cherchait à bien en
comprendre le sens.

Plus les gens sont frustes, plus ils se mon-
trent méfiants, et elle n'avait guère évolué depuis qu'elle avait quitté son village de Vendée.

— Qu'est-ce que je vous dois?

Quand il sortit, tous les regards le suivirent
et sans doute, la porte à peine refermée, se met-

trait-on à parler de lui. Il en avait l'habitude. Il
trouva presque tout de suite un taxi et il se fit
conduire chez lui.

Il mangea son rôti de veau sans appétit et sa
femme se demanda pourquoi il lui disait tout à
coup :

— Demain, tu nous feras des andouillettes...

A deux heures, il était au Quai des Orfèvres.
Avant de monter dans son bureau, il s'arrêta à
la brigade des garnis.

— Je voudrais qu'on me recherche la trace d'un
certain Léonard Planchon, entrepreneur de peinture, trente-six ans, domicilié rue Tholozé... Il se
pourrait que lundi soir, assez tard, il se soit installé, avec deux valises, dans un hôtel, probablement un hôtel modeste, probablement aussi du côté
de Montmartre... Il est plutôt petit, d'un blond tirant sur le roux, avec un bec-de-lièvre...

On allait consulter les fiches, visiter les meublés.

Quelques instants plus tard, assis devant ses
pipes entre lesquelles il hésitait, il fit venir Lucas.

— Tu vas diffuser une note aux chauffeurs de
taxis... Je voudrais savoir si l'un d'eux a embar-
qué un client porteur de deux valises, lundi soir,
aux alentours de minuit, du côté de la rue Lepic ou de la place Blanche...

Il répéta le signalement, rappela le fameux
bec-de-lièvre.

— Tant que tu y es, alerte les gares, à tout hasard...

Tout cela, c'était la routine et Maigret n'avait pas trop l'air d'y croire.

— Votre client du samedi a disparu?

— On le dirait...

Il fut une bonne heure sans y penser, occupé qu'il était par d'autres affaires. Puis il se leva pour allumer les lampes, car le ciel devenait de plus en plus sombre.

Soudain, il se décida à aller trouver le grand patron.

— Il faut que je vous parle d'une histoire qui me tracasse...

Il se sentait un peu ridicule d'y attacher autant d'importance et, à mesure qu'il parlait, racontant l'entrevue qui avait eu lieu chez lui le samedi, il se rendait compte que son récit était peu convaincant.

— Vous ne croyez pas que c'est un fou ou un demi-fou?

Le patron aussi les voyait défiler car certains, à force d'obstination ou d'astuce, parvenaient à se faire recevoir par lui. Parfois, ce n'était qu'au bout de leur monologue qu'on s'apercevait que cela ne tenait pas debout.

— Je ne sais pas... J'ai vu sa femme...

Il résuma la conversation du matin avec Renée.

Le directeur de la P.J., comme il s'y attendait, ne voyait pas les choses du même œil que lui et paraissait surpris du trouble de Maigret.

— Vous craignez qu'il se soit suicidé?

— C'est une des possibilités...

— Vous venez de me dire qu'il vous a parlé de se détruire... Ce que je ne m'explique pas, dans ce cas, c'est qu'il ait pris soin d'aller chercher ses affaires et qu'il se soit encombré de deux valises...

Maigret tirait sur sa pipe sans rien dire.

— Il a peut-être eu envie de s'éloigner de Paris... Peut-être aussi s'est-il installé dans le premier hôtel venu... continuait le directeur.

Le commissaire hochait la tête.

— J'aimerais en savoir davantage, soupirat-il. Je voulais vous demander la permission de convoquer l'amant dans mon bureau...

— Quel homme est-ce?

— Je ne l'ai pas vu mais, à ce que j'en sais, il ne doit pas avoir le caractère facile... Il y a aussi les ouvriers, à qui j'aimerais poser quelques questions...

— Au point où en sont nos relations avec le Parquet, je préférerais que vous en touchiez deux mots au procureur...

C'était toujours le même antagonisme, plus ou moins sourd et voilé, entre la P.J. et ces messieurs du Palais de Justice. Maigret se souvenait du temps où il pouvait mener une enquête jusqu'au bout sans en référer à quiconque et où il ne prenait contact avec le juge d'instrction que quand une affaire était terminée.

Depuis, il y avait eu des nouvelles lois, des décrets à n'en plus finir et, pour rester dans la légalité, il fallait surveiller ses faits et gestes. Même sa visite du matin, rue Tholozé, pourrait, si Renée Planchon s'avisait de s'en plaindre, lui attirer de sévères remontrances.

— Vous n'attendez pas le résultat des recherches?

— J'ai le pressentiment qu'elles ne donneront rien.

— Allez-y si vous y tenez. Je vous souhaite bonne chance...

C'est ainsi que, vers cinq heures de l'après-midi, Maigret franchit la petite porte qui sépare la Police Judiciaire d'un monde tout différent installé dans le même Palais de Justice.

De l'autre côté, c'étaient les procureurs, les juges, les salles d'audience, les vastes couloirs où s'agitaient des avocats en robe noire qui semblaient battre des ailes.

Les bureaux du Parquet étaient solennels, somptueux en regard de ceux de la police. On y observait une stricte étiquette et on y parlait à voix feutrée.

— Je vais vous annoncer au substitut Méchin... C'est le seul qui soit libre en ce moment...

Il attendit longtemps, comme d'autres attendaient pour le voir dans la cage de verre de la P.J. Puis une porte s'ouvrit sur un bureau de style empire et ses pieds foulèrent un tapis à fond rouge.

Le substitut était grand, blond et son complet sombre était merveilleusement coupé.

— Asseyez-vous, je vous en prie... De quoi s'agit-il?...

Il regardait la montre de platine à son poignet en homme dont les instants sont précieux et on imaginait qu'il devait aller prendre le thé dans quelque salon aristocratique.

Cela semblait vulgaire, presque de mauvais goût, ici, d'évoquer le petit peintre en bâtiments de la rue Tholozé, son long récit deux ou trois fois interrompu pour avaler un verre de prunelle, ses larmes, ses cris de passion.

— J'ignore encore s'il s'agit d'une simple disparition, d'un suicide ou d'un crime...

Il résuma tant bien que mal la situation. Le substitut l'écoutait en contemplant ses mains aux ongles manucurés. C'étaient de fort belles mains, aux doigts longs et fins.

— Qu'est-ce que vous vous proposez de faire?

— Je voudrais entendre l'amant, le nommé Roger Prou... Peut-être aussi les trois ou quatre ouvriers employés rue Tholozé...

— C'est un homme susceptible de protester, de nous faire des ennuis?

— Je le crains.

— Vous croyez que c'est nécessaire?

Plus encore que dans le bureau du directeur, l'affaire, ici, prenait un tout autre aspect et Maigret était tenté d'abandonner, d'effacer de sa mémoire le petit homme au bec-de-lièvre qui avait

fait une irruption grotesque dans la vie du boulevard Richard-Lenoir.

— Quelle est votre idée de derrière la tête?

— Je n'en ai pas... Tout est possible... C'est
justement pour me faire une idée que j'ai besoin
de voir ce Prou...

Alors qu'il n'espérait plus un accord, le substitut se leva après avoir regardé l'heure une fois
de plus.

— Envoyez-lui une convocation pour informa-
tion... Mais soyez prudent... Quant aux ouvriers,
si vous y tenez vraiment...

Un quart d'heure plus tard, Maigret, dans son
bureau, remplissait les blancs d'une formule ad-
ministrative. Puis il rappela Lucas.

— Je voudrais le nom et l'adresse des ouvriers
qui travaillent à l'entreprise Planchon, rue Tholozé... Tu pourrais t'adresser à la Sécurité Sociale... Ils doivent avoir les listes dans leurs fi-
chiers...

Une heure plus tard, il remplissait trois autres formules, car il n'y avait, outre Roger Prou,
que trois ouvriers inscrits, y compris un jeune
Italien nommé Angelo Massoletti.

Après quoi, jusqu'à neuf heures du soir, il entendit des témoins au sujet des vols de bijoux, sur
tout des membres du personnel des hôtels où ces
vols avaient été commis. Il dîna de sandwiches,
rentra chez lui et but à nouveau un grog, avec
deux comprimés d'aspirine, avant de se mettre
au lit.

A neuf heures du matin, un homme râblé, aux cheveux blancs, au visage rose, attendait déjà dans l'antichambre et quelques minutes plus tard on l'introduisait dans le bureau de Maigret.

— Vous vous appelez Jules Lavisse?

— Dit Pépère... Il y en a aussi qui m'appellent Saint-Pierre, sans doute parce qu'ils prennent mes cheveux pour une auréole...

— Asseyez-vous...

— Merci à vous... Je suis plus souvent sur une échelle que sur une chaise...

— Il y a longtemps que vous travaillez pour Léonard Planchon?

— Je travaillais déjà avec lui quand il n'était qu'un jeunet et que le patron s'appelait Lempereur...

— Vous êtes donc au courant de ce qui se passe dans la maison de la rue Tholozé?

— Cela dépend...

— Cela dépend de quoi?

— De ce que vous ferez de ce que je pourrais dire...

— Je ne comprends pas...

— Si c'est pour en parler ensuite à la patronne ou à M. Roger, je ne suis qu'un ouvrier qui ne sait rien... A plus forte raison si je dois répéter mes paroles devant le tribunal...

— Pourquoi le tribunal?

— Parce que, quand on convoque les gens ici, c'est qu'il se passe quelque chose de pas catholique, non?

— Vous avez l'impression qu'il se passe, rue Tholozé, des choses pas catholiques?

— Vous ne m'avez pas répondu.

— Il y a toutes les chances pour que cette conversation reste entre nous...

— Qu'est-ce que vous voulez savoir?

— Quels étaient les rapports entre votre patron et sa femme?

— Elle ne vous l'a pas dit?... Je vous ai vu hier traverser la cour et vous êtes resté près d'une heure avec elle...

— Il y a longtemps que Prou est son amant?

— Son amant, je n'en sais rien... Mais voilà bien deux ans qu'il couche dans la maison...

— Et quelle était, depuis lors, l'attitude de Planchon?

Le vieux peintre eut un sourire goguenard.

— L'attitude d'un cocu, quoi!

— Vous voulez dire qu'il acceptait de bon cœur la situation?

— Bon cœur ou pas bon cœur, il n'avait pas grand-chose d'autre à faire...

— Il était quand même chez lui.

— Peut-être qu'il avait l'illusion d'être chez lui, mais il était surtout chez elle...

— Quand il l'a épousée, elle ne possédait rien...

— Je m'en souviens... Il n'empêche que, la première fois que je l'ai vue, j'ai compris qu'il n'aurait plus rien à dire...

— Vous pensez que Planchon est un faible?

— C'est peut-être le mot... Je dirais plutôt que c'est un brave type et un malheureux... Il aurait pu être heureux avec n'importe quelle femme... Il a fallu qu'il tombe sur celle-là...

— Ils ont pourtant été heureux pendant plusieurs années...

Le vieux hochait la tête, sceptique.

— Si vous voulez...

— Ce n'est pas votre avis?

— Peut-être qu'il était heureux... Peut-être qu'elle était heureuse de son côté... Seulement, ils n'étaient pas heureux ensemble...

— Elle le trompait?

— Je crois bien qu'elle l'a trompé avant même de s'installer rue Tholozé... Remarquez que je ne l'ai pas vue... Mais, dès qu'elle est devenue Mme Planchon...

— Avec qui?

— Avec n'importe quel mâle... Avec presque tous les ouvriers qui ont passé par la maison... Si j'avais encore eu l'âge...

— Planchon ne soupçonnait rien?

— Est-ce que les maris soupçonnent jamais quelque chose?

— Et avec Prou?

— Elle est tombée sur un dur, sur un homme qui avait son idée... Il ne s'est pas contenté, comme les autres, de prendre son plaisir entre deux portes...

— Vous pensez que, dès le début, son intention était de supplanter le patron?

— Dans le lit, d'abord... Puis à la tête de l'affaire... A présent, si vous répétez ce que je vous dis, autant que je me cherche tout de suite une autre place... Sans compter qu'il pourrait m'attendre un jour au coin de la rue...

— Il est violent?

— Je ne l'ai jamais vu frapper personne, mais je préfère ne pas être son ennemi...

— Quand avez-vous vu Planchon pour la dernière fois?

— Bon! Nous y sommes. Vous y avez mis le temps. J'avais la réponse toute prête en arrivant, car je pensais que ce serait la première que vous me poseriez. Lundi, à cinq heures et demie du soir...

— Où?

— Rue Tholozé... Je ne travaillais pas sur le même chantier que lui... Mon boulot était de repeindre une cuisine chez une vieille femme de la rue Caulaincourt... Le patron et les autres travaillaient, eux, dans une maison neuve de l'avenue Junot... Un gros boulot... Trois semaines au moins... Je suis passé rue Tholozé vers cinq heures et demie, comme je vous disais, et j'étais dans la remise quand la camionnette est rentrée dans la cour... Le patron était au volant, avec Prou à côté de lui, Angelo et le grand Jef derrière...

— Vous n'avez rien remarqué de particulier?

— Non. Ils ont déchargé du matériel et le patron, comme d'habitude, est entré dans la maison pour se changer... Il se changeait toujours après le travail...

— Vous savez à quoi il passait ses soirées?

— Il m'est arrivé de le rencontrer.

— Où?

— Dans des bistrots... Depuis que Prou s'est installé dans la maison, il picolait ferme, surtout le soir...

— Vous n'avez jamais eu l'impression qu'il pourrait se suicider?

— Cela ne m'est pas venu à l'idée.

— Pourquoi?

— Parce que, quand on subit pendant deux ans une situation comme celle-là, il n'y a pas de raison pour qu'on ne l'accepte pas toute sa vie...

— Vous n'avez jamais entendu dire qu'il n'était plus le patron?

— Il y a longtemps qu'il ne l'était plus... On le lui laissait croire, mais, en fait...

— Personne ne vous a annoncé que Prou avait racheté l'affaire?

Celui qu'on surnommait Pépère le regardait avec de petits yeux aigus, hochait la tête.

— Ils sont parvenus à lui faire signer un papier?

Et, comme s'il se parlait à lui-même :

— Ils sont encore plus fortiches que je le croyais...

— Prou n'en a pas parlé?

— Première nouvelle... Elle ne m'étonne

pas... C'est pour ça qu'il est parti?... Ils l'ont finalement flanqué à la porte?...

Cela paraissait pourtant le contrarier.

— Ce que je comprends moins, c'est qu'il n'ait pas emmené sa fille... J'étais persuadé que c'était pour elle qu'il supportait tout ça...

— On ne vous a rien annoncé, mardi?

— Prou nous a annoncé que Planchon était parti.

— Il ne vous a pas dit dans quelles circonstances?

— Seulement qu'il était rond comme une bille quand il était venu chercher ses affaires...

— Vous l'avez cru?

— Pourquoi pas?... Ce n'est pas ainsi que ça s'est passé?

Son regard devenait curieux.

— Vous avez une idée de derrière la tête, n'est-ce pas?

— Et vous?

— Les idées et moi, vous savez...

— Vous n'avez pas été surpris?

— J'ai dit à ma femme, en rentrant le soir, que Planchon ne ferait sans doute pas long feu... Pour aimer sa femme, on peut dire que cet homme-là a aimé sa femme... Au point d'en devenir idiot... Quant à sa fille, c'était pour lui le Saint-Sacrement...

— Vous avez pris la camionnette le mardi matin?

— On s'y est installés tous... Prou conduisait... Il m'a laissé tomber rue Caulaincourt, en face de chez ma vieille femme...

— Vous n'avez rien remarqué d'anormal?

— Il y avait des bidons de peinture, comme toujours, des rouleaux de papier-peint, des brosses, des éponges, qu'est-ce que je sais, moi?

— Je vous remercie, monsieur Lavisse.

— C'est tout?

Le vieux paraissait déçu.

— Vous voudriez que je vous pose d'autres questions?

— Non. Je pensais que ce serait plus long. C'est la première fois que je viens ici...

— Si quelque chose vous revenait à la mémoire, n'hésitez pas à venir me voir ou à me téléphoner...

— Prou va me demander de quoi nous avons parlé...

— Dites-lui que je me suis renseigné sur Planchon, sur son comportement, sur les chances qu'il se soit suicidé...

— Il en existe beaucoup?

— Je n'en sais pas plus que vous...

Il s'en allait et quelques instants plus tard le jeune Italien prénommé Angelo prenait sa place encore chaude. Il n'était en France que depuis six mois et Maigret fut obligé de lui répéter deux ou trois fois chaque question.

L'une de celles-ci parut le surprendre.

— Votre patronne ne vous a jamais fait des avances?

Car c'était un bel adolescent aux yeux doux et tendres.

— Des avances?

— Elle n'a pas essayé de vous attirer dans la maison?

Cela le fit rire.

— Et M. Roger? protesta-t-il.

— Il est jaloux?

— Je crois que...

Il faisait le geste de planter un poignard dans une poitrine.

— Vous n'avez pas revu M. Planchon depuis lundi?

Ce fut tout pour lui et le troisième ouvrier, convoqué pour onze heures, celui que ses camarades appelaient le grand Jef, se contenta de répondre à la plupart des questions :

— Je ne sais pas...

Il ne voulait pas se mêler des affaires des autres et il ne semblait pas nourrir de tendresse particulière pour la police. Il est vrai que Maigret devait découvrir par la suite qu'il avait été arrêté deux ou trois fois pour tapage public et, une fois, pour coups et blessures, après avoir cassé une bouteille sur la tête d'un de ses voisins de bar.

Maigret déjeuna à la brasserie Dauphine en compagnie de Lucas, bien que celui-ci n'eût rien à lui apprendre. La circulaire aux chauffeurs n'avait encore donné aucun résultat. Cela ne signifiait rien, car certains évitaient autant que possible les contacts avec la police. Ils n'ignoraient pas que cela voulait dire du temps perdu, des interrogatoires Quai des Orfèvres, puis chez le juge d'instruction, enfin parfois deux ou trois journées à attendre dans la salle des témoins du tribunal.

Quant à la brigade des garnis, pourtant une des plus efficaces, elle n'avait pas trouvé trace de Planchon. Celui-ci, autant qu'on en pouvait juger, n'était pourtant pas l'homme à se procurer une fausse carte d'identité. S'il était descendu dans un hôtel ou dans un meublé, c'était sous son nom.

La dernière image qu'on avait de lui était celle d'un petit homme encombré de deux valises descendant, vers minuit, la rue Tholozé. Bien entendu, il pouvait avoir pris un autobus pour se rendre à une gare où on ne l'avait pas nécessairement remarqué.

— Qu'est-ce que vous en pensez, patron?

— Il m'avait promis de me téléphoner chaque jour... Il ne l'a pas fait dimanche mais, lundi, il m'a appelé...

Il n'avait pas tué Renée et son amant. Avait-il soudain décidé de partir? Il avait quitté, vers huit heures, le bureau de tabac de la place des Abbesses et, à ce moment-là, il avait déjà bu plusieurs cognacs. Selon toute vraisemblance, il était entré dans d'autres caboulots. En cherchant bien aux alentours, on arriverait sans doute à retrouver sa piste.

Une fois ivre, quelle idée avait pu lui passer par la tête?

— S'il s'est jeté dans la Seine, il peut se passer des semaines avant qu'on le repêche... murmura Lucas.

C'était grotesque, évidemment, d'imaginer l'homme au bec-de-lièvre remplissant ses valises de tous ses effets personnels et les trimbalant dans les rues pour aller se jeter dans la Seine.

Maigret, qui couvait toujours son rhume sans que celui-ci se déclare franchement, prit une fine avec son café et, à deux heures, il était de retour au bureau.

Roger Prou le fit attendre dix bonnes minutes et le commissaire, à son tour, comme pour se venger, le laissa mijoter dans la salle d'attente jusqu'à trois heures moins le quart. Lucas était allé l'observer deux ou trois fois à travers la vitre.

— Quel air a-t-il?

— Pas commode.

— Qu'est-ce qu'il fait?

— Il lit un journal mais ne cesse de lever les yeux vers la porte...

Joseph l'introduisit enfin et Maigret resta assis, la pipe aux dents, penché sur des papiers qui semblaient retenir toute son attention.

— Asseyez-vous... grommela-t-il avec un geste vers une des chaises.

— Je n'ai pas tout mon après-midi à perdre...

— Je suis à vous dans un instant...

Il n'en continuait pas moins à lire, à cocher
certaines phrases au crayon rouge. Cela dura
encore dix bonnes minutes, après quoi Maigret
se leva, ouvrit la porte du bureau des inspecteurs, passa un certain temps à donner des instructions à voix basse.

C'est alors seulement qu'il regarda en face
l'homme assis sur une des chaises garnies de ve-
lours vert. Et ce fut de la voix la plus neutre
qu'il prononça, en reprenant place à son bureau :

— Vous vous appelez Roger Prou?

6

Roger Etienne
Ferdinand Prou... répondait-il en détachant les
syllabes. Né à Paris, rue de la Roquette...

Se soulevant légèrement sur sa chaise, il tirait un portefeuille de sa poche-revolver, en sor-
tait une carte d'identité qu'il posait sur le bureau en remarquant :

— Je suppose que vous voulez des preuves?...

Il était rasé de frais, vêtu d'un complet bleu
qui devait être son costume des dimanches.
Maigret ne s'était pas trompé en l'imaginant
avec des cheveux drus, très bruns, plantés bas
sur le front, des sourcils épais.

C'était un beau mâle, comme Renée était une
belle femelle, et, par leur tranquillité agressive,
ils faisaient penser à des fauves. S'il avait rous-

pété pour la forme, parce qu'on lui faisait perdre son temps et celui de ses employés, Prou ne
se laissait pas démonter par le petit jeu classi-
que du commissaire et c'était plutôt de l'ironie
qu'exprimaient ses prunelles.

A la campagne, il aurait été le coq du village,
celui qui, le dimanche, entraîne ses camarades
pour aller provoquer les gars du hameau voisin
et qui engrosse cyniquement les filles.

A l'usine, il aurait été la forte tête, tenant
tête aux contremaîtres et créant des incidents à
plaisir pour établir son prestige sur ses compa-
gnons.

Tel qu'il était bâti, et avec le caractère que
Maigret croyait lui découvrir, il aurait pu être
souteneur aussi, non pas à l'Etoile, mais dans
le quartier de la porte Saint-Denis ou à la Bas-
tille, et on le voyait assez bien jouer aux cartes
toute la journée dans les bistrots, en surveillant
le trottoir d'un œil vigilant.

Peut-être enfin aurait-il pu être le chef d'une
bande de mauvais garçons, pas une terreur,
sans doute, mais l'organisateur, par exemple, de
cambriolages nocturnes dans des dépôts autour
de la gare du Nord ou dans la proche banlieue.

Maigret repoussait vers lui la carte d'identité
en règle.

— Vous avez apporté le papier que je vous ai
demandé?

Prou avait gardé son portefeuille à la main
et, toujours calme, avec de gros doigts qui ne

tremblaient pas, il en extrayait la feuille, signée Léonard Planchon, qui faisait de lui le co-
propriétaire, avec sa maîtresse, de l'entreprise
de peinture.

Il la tendait au commissaire, montrant toujours le même flegme dédaigneux.

Maigret se levait, se dirigeait une fois de plus
vers le bureau des inspecteurs, restait debout
entre les deux pièces afin de ne pas perdre son
visiteur de vue.

— Lapointe !

Et, à voix basse :

— Tu vas monter ceci à M. Pirouet... Il est
au courant...

C'était là-haut, sous les combles du Palais de
Justice, au laboratoire de police scientifique.
M. Pirouet était une acquisition assez récente
du service, un curieux bonhomme, gras et jo-
vial, qu'on avait regardé avec une certaine méfiance quand il était entré comme aide-chimiste,
car il avait plutôt l'air d'un commis voyageur.
C'était par ironie qu'on avait pris l'habitude de
l'appeler M. Pirouet, en appuyant sur le monsieur.

Or, il s'était révélé un collaborateur de premier ordre, un bricoleur bourré d'idées qui avait
déjà construit de ses mains plusieurs appareils
ingénieux, et on avait découvert en outre qu'il
était un graphologue étonnant.

Dès avant la visite de Prou, Maigret avait envoyé un inspecteur à la Sécurité Sociale afin de

se procurer des feuilles de paie portant la signature de Planchon.

Il faisait gris. Le brouillard commençait à
descendre sur les rues, comme le samedi précé-
dent.

Le commissaire reprenait lentement sa place,
comme au ralenti, et c'était Prou qui, malgré
son sang-froid, parlait le premier :

— Je suppose que, si vous m'avez convoqué,
c'est que vous avez des questions à me poser?

Maigret le regardait, une expression cordiale,
à peine ironique, sur le visage.

— Certainement... répondait-il du bout des
lèvres. J'ai toujours des questions à poser, mais
je ne sais pas au juste lesquelles...

— Je vous préviens que si vous vous moquez
de moi...

— Je n'ai pas l'intention de me moquer de
vous... Votre ancien patron, Planchon, a disparu, et j'aimerais savoir ce qu'il est devenu...

— Renée vous l'a dit...

— Elle m'a affirmé qu'il était parti lundi soir
en portant ses deux valises... Vous l'avez vu
partir aussi, n'est-ce pas?

— Pardon! Ne me faites pas dire ce que je ne
dis pas... Je l'ai *entendu*... J'étais derrière la
porte...

— Vous ne l'avez donc pas vu partir?

— C'est tout comme... J'ai entendu leur conversation... Je l'ai entendu aussi qui montait
au premier pour prendre ses affaires... Puis ses

pas dans le corridor, la porte d'entrée qui se refermait, et à nouveau ses pas dans la cour...

— Depuis ce moment-là, il a disparu.

— Comment le savez-vous? Ce n'est pas parce qu'un homme s'en va de chez lui qu'il disparaît...

— Il se fait que Planchon devait me téléphoner mardi.

Maigret n'avait pas préparé son interrogatoire et cette phrase, anodine en apparence, venait de l'inspiration du moment. Bien entendu, il ne quittait pas son interlocuteur des yeux. La réaction de Prou le déçut-il? Il y eut, certes, comme un petit choc. Il était évident que l'homme ne s'attendait pas à cette révélation. Ses gros sourcils se froncèrent. Il parut, en quelques secondes, faire le point de la situation, envisager tout ce que ces quelques mots impliquaient.

— Comment savez-vous qu'il devait téléphoner?

— Parce qu'il me l'avait promis.

— Vous le connaissiez?

Maigret, évitant de répondre, bourrait une pipe avec des gestes minutieux qui auraient exaspéré n'importe qui. Or, Roger Prou ne donnait toujours aucun signe de nervosité.

— Parlons plutôt de vous... Vous avez vingt-huit ans?...

— Vingt-neuf...

— Vous êtes né rue de la Roquette... Que faisait votre père?

— Menuisier... Il avait et il a encore son atelier au fond d'une impasse... Puisque vous voulez tout savoir, il est spécialisé dans la réfection des meubles anciens...

— Vous avez des frères et des sœurs?

— Des sœurs...

— Vous étiez donc le seul garçon de la famille?... Votre père n'a pas essayé de vous apprendre son métier?... C'est un métier qui se perd, je crois, et dans lequel on gagne fort bien sa vie...

— J'ai travaillé avec lui jusqu'à l'âge de seize ans...

Il le faisait exprès de parler comme on récite une leçon à l'école.

— Et ensuite?

— J'en ai eu marre.

— Vous avez préféré devenir peintre en bâtiments?

— Pas tout de suite... Mon idée était d'être coureur cycliste... Pas un routier... Pas le Tour de France... Un pistard!... Pendant deux ans, j'ai couru comme junior au Vel' d'Hiv...

— Cela vous permettait de manger tous les jours?

— Justement non. Et c'est parce que j'ai compris que j'étais trop lourd et que je ne deviendrais jamais un crack que j'ai abandonné la bicyclette... Vous voulez connaître la suite?

Maigret faisait signe que oui et tirait des bouffées lentes de sa pipe tandis que sa main jouait avec un crayon.

— J'ai devancé l'appel pour en finir avec mon service militaire...

— Vous aviez déjà votre idée?

— Parfaitement... Et je n'ai aucune raison de ne pas vous la dire... Gagner assez d'argent pour être un homme libre...

— Qu'avez-vous fait à votre retour à Paris?

— J'ai d'abord travaillé dans un garage, où la vie était trop monotone pour mes goûts... Sans compter que j'avais sans cesse le patron sur le dos et que les journées étaient plus souvent de dix ou de douze heures que de huit... Pendant quelques mois, j'ai été apprenti-serrurier... Enfin, un copain m'a fait embaucher dans une entreprise de peinture...

— Chez Planchon?

— Pas encore, non... Chez Desjardins et Brosse, boulevard Rochechouart...

On se rapprochait de Montmartre et de la rue Tholozé.

— Vous mettiez de l'argent de côté?

Prou vit le signal.

— Bien sûr...

— Beaucoup?

— Autant que je le pouvais...

— Quand êtes-vous entré chez Planchon?

— Il y a un peu plus de deux ans... Je m'étais disputé avec un des patrons... En ou-

tre, l'entreprise était trop importante... J'avais
envie de travailler pour un petit patron...

— Vous habitiez toujours chez vos parents?

— Il y avait belle lurette que je vivais seul
dans un hôtel meublé...

— Où?

— Au bas de la rue Lepic... L'hôtel
Beauséjour...

— Je suppose que vous avez rencontré Planchon dans un café et qu'il vous a dit qu'il cherchait un bon ouvrier?

Prou le regarda en fronçant une fois de plus
les sourcils et Maigret n'était pas trop surpris
de trouver chez lui des réactions presque identiques à celles de Renée.

— Qu'est-ce que vous essayez de me faire
dire?

— Rien... Je me renseigne... Planchon fréquentait les caboulots du quartier... Il est naturel de penser...

— Vous pensez de travers.

— Il se pourrait aussi que ce soit Mme Planchon que vous ayez rencontrée, soit quand elle
faisait son marché, soit...

— C'est pour me servir ce baratin-là que vous
m'avez dérangé?

On aurait pu croire qu'il allait se lever et se
diriger vers la porte.

— Je n'ai pas rencontré Renée avant de travailler rue Tholozé. Et d'un! Ce n'est pas elle

qui m'a fait entrer chez son mari. Et de deux !...
Vu ?...

Maigret répéta avec un drôle de sourire :

— Vu !... Vous avez répondu à une an-
nonce ?... Vous avez aperçu, en passant devant
la grille, une affichette demandant un ouvrier ?...

— Il n'y avait pas d'affichette... Je suis entré au petit bonheur et il se fait qu'on avait justement besoin de quelqu'un...

— Après combien de temps êtes-vous devenu
l'amant de Mme Planchon ?

— Dites donc ! Vous avez le droit d'entrer
ainsi dans la vie privée des gens ?

— Planchon a disparu.

— C'est vous qui le dites.

— Vous n'êtes pas obligé de répondre.

— Et si je ne réponds pas ?

— J'en serai quitte pour en tirer des conclu-
sions.

Prou laissa tomber, dédaigneux :

— Mettons une semaine...

— En somme, presque le coup de foudre ?

— Cela a accroché tout de suite, elle et moi...

— Vous saviez que cela avait accroché,
comme vous dites, avec la plupart de vos camarades ?

Du coup, Prou eut le sang aux joues et, pendant quelques secondes, il serra les mâchoires.

— Vous le saviez ? insistait Maigret.

— Cela ne vous regarde pas

— Vous l'aimez?

— C'est mon affaire...

— Après combien de temps Planchon vous a-t-il surpris?

— Il ne nous a pas surpris...

Maigret feignit la surprise.

— Je croyais qu'il vous avait pris en flagrant délit et que c'est à la suite de ça que...

— Que quoi?

— Un instant... Laissez-moi mettre de l'ordre dans mes idées... Vous étiez un des ouvriers de Planchon et, quand l'occasion s'en présentait, vous couchiez avec sa femme... Vous habitiez toujours rue Lepic?

— Oui...

— Or, un beau jour, vous vous êtes installé dans le pavillon de la rue Tholozé et vous avez en quelque sorte poussé Planchon hors de son lit pour y prendre sa place...

— Vous l'avez vu?

— Qui?

— Planchon... Vous m'avez dit tout à l'heure qu'il devait vous téléphoner... C'est donc qu'il était en rapport avec vous... Il est venu vous trouver?... Il s'est plaint de nous?...

A ces moments-là, le regard de Maigret devenait vague et toute sa personne s'imprégnait d'une passivité exaspérante. Sans paraître avoir entendu la question, il regardait mollement dans la direction de la fenêtre et, tirant toujours sur sa pipe, murmurait comme s'il se parlait à lui-même :

— J'essaie de m'imaginer la scène... Planchon rentre chez lui, le soir, et trouve un lit de camp installé à son intention dans la salle à manger... Je suppose qu'il s'étonne, cet homme?... Jusqu'alors, il ne savait rien de ce qui se passait derrière son dos et voilà que, d'une heure à l'autre, il apprend qu'il n'a plus le droit de coucher dans son lit...

— Cela vous amuse?

Toujours calme en apparence, Prou avait les yeux durs et brillants et, de temps en temps, on entendait un claquement des mâchoires.

— Vous l'aimez tant que ça?

— C'est ma femme !

— Légalement, elle est encore celle de Planchon... Pourquoi votre maîtresse n'a-t-elle pas divorcé?...

— Parce que, pour divorcer, il faut être deux, et qu'il s'y refusait obstinément...

— Il l'aimait aussi?

— Je n'en sais rien. Cela ne me regarde pas. Allez le lui demander vous-même... Si vous l'avez vu, vous savez aussi bien que moi que ce n'est pas un homme... C'est une chiffe !... C'est un déchet !... C'est...

La voix devenait passionnée.

— Il est le père d'Isabelle...

— Et vous croyez qu'Isabelle n'aime pas mieux m'avoir dans la maison que ce type qui

s'ennivre tous les soirs et à qui il arrive d'aller
pleurer sur le lit de la petite?...

— Il ne buvait pas avant que vous entriez à
son service...

— C'est lui qui vous l'a dit?... Et vous l'avez
cru?... Dans ce cas, tout ce que nous disons ne
sert à rien et nous perdons notre temps... Ren-
dez-moi mon papier, posez-moi les questions
qu'il vous reste à me poser et qu'on en finisse...
Cela m'est parfaitement égal que vous me don-
niez le vilain rôle...

— Il y a une chose que je ne comprends pas.

— Seulement une? ironisa-t-il.

Et Maigret, comme s'il n'avait pas entendu,
d'un débit toujours lent et monotone :

— Voilà un peu plus de quinze jours que
Planchon vous a cédé sa part dans l'entreprise...
Votre maîtresse et vous en êtes donc devenus
les propriétaires... Je suppose qu'il n'entrait pas
dans les intentions de Planchon de rester et de
travailler sous vos ordres?...

— La preuve, c'est qu'il est parti...

— Mais il est resté deux semaines...

— Cela vous surprend parce que vous vous
figurez que les gens doivent agir comme ceci ou
comme cela, selon votre logique à vous... Il se
fait que cet homme-là n'agissait pas selon la logique... Autrement, il n'aurait pas dormi pendant deux ans sur un lit de camp pendant que
sa femme était couchée avec moi dans la pièce
voisine... Vous comprenez ça, oui?

— Donc, dès la signature de l'acte de vente, il était résigné à partir?

— C'était convenu entre nous...

— Vous aviez en quelque sorte le droit de le flanquer à la porte...

— Je n'en sais rien... Je ne suis pas avocat... Toujours est-il que nous avons eu la patience d'attendre deux semaines...

Tout en écoutant, le commissaire revoyait le petit homme au bec-de-lièvre se confessant dans le salon du boulevard Richard Lenoir tandis que la table était dressée pour le dîner derrière la porte vitrée. Certes, Planchon avait bu, pour se donner du courage, comme il disait, et Maigret, le sentant faiblir, lui avait versé de la prunelle. Ses accents n'en rendaient pas moins un son de vérité.

Pourtant... Est-ce que, déjà le samedi soir, Maigret n'avait pas ressenti un certain malaise? Ne lui était-il pas arrivé à deux ou trois reprises de douter et de regarder son interlocuteur avec des yeux soudain durcis?

Son long monologue était marqué du signe de la passion.

Mais Renée, ce matin, encore que plus calme, n'était pas moins passionnée.

Et il arrivait à Prou, qui s'efforçait de garder sa maîtrise, de serrer les dents.

— Pourquoi pensez-vous que, lundi soir, il se soit décidé brusquement?

L'autre haussa les épaules avec indifférence.

— Avait-il les trois millions sur lui? insistait Maigret.

— Je ne le lui ai pas demandé.

— Lorsque vous les lui avez remis, deux semaines plus tôt, qu'en a-t-il fait?

— Il est monté au premier... Je suppose qu'il les a cachés quelque part...

— Il ne les a pas portés à la banque?

— Pas ce jour-là, car cela se passait le soir, tout de suite après le dîner.

— Dans le bureau?

— Non. Dans le living-room. Nous avons attendu que la petite soit couchée...

— Vous en aviez déjà parlé ensemble? Tout était convenu entre vous, y compris la somme? Je suppose que vous aviez rangé les billets dans le bureau?

— Non. Dans la chambre.

— Par crainte qu'il s'en empare?

— Parce que, dans la chambre, c'était chez nous.

— Vous avez vingt-neuf ans... Vous n'avez guère eu l'occasion de faire des économies qu'après votre service militaire... Comment, en si peu de temps, avez-vous pu mettre tant d'argent de côté?

— Je n'en avais qu'une partie, un tiers exactement.

— Où avez-vous trouvé le reste?

Il ne paraissait nullement embarrassé. Au contraire! On aurait dit que c'était à ce tour-

nant qu'il attendait le commissaire et il continuait, en cachant mal sa satisfaction :

— Mon père m'a prêté un million... Il a travaillé assez longtemps, lui, pour amasser des
économies... Quant à l'autre million, c'est le
mari de ma sœur qui me l'a confié... Il s'appelle Mourier, François Mourier, et il a une
charcuterie boulevard de Charonne...

— Quand avez-vous procédé à ces emprunts?

— La veille de Noël... Nous espérions en finir avec Planchon le lendemain...

— En finir?

— Lui donner son argent et le voir quitter la
maison, quoi! Vous m'avez fort bien compris.

— Je suppose que vous avez signé des reçus?

— Même avec la famille, j'aime que les choses se passent régulièrement.

Maigret poussait vers lui un bloc-notes, un
crayon.

— Vous voulez m'écrire l'adresse exacte de
votre père et de votre beau-frère?

— La confiance règne!

Il écrivit néanmoins les deux adresses. Son
écriture était appliquée, mais régulière, presque
scolaire et, au moment où le commissaire reprenait le bloc, le téléphone sonna.

— Ici, Pirouet... J'ai terminé... Vous voulez
venir voir, ou préférez-vous que je descende?

— Je monte...

Et, à Prou :

— Vous m'excusez un instant?

Il passa par le bureau voisin, laissant la
porte ouverte, dit à Lapointe :

— Entre chez moi et surveille-le...

Quelques minutes plus tard, il arrivait sous
les toits, serrait la main de Moers, frôlait le
mannequin qui servait aux reconstitutions et pénétrait dans le laboratoire.

M. Pirouet, le visage luisant de sueur, se tenait debout devant deux agrandissements pho-
tographiques encore humides maintenus par des
pinces à linge.

— Alors?

— Il faut que je vous pose une question, patron... Le type qui a signé ces papiers boit
beaucoup?

— Pourquoi?

— Parce que cela expliquerait la différence
d'écriture... Regardez d'abord la signature sur
le bordereau de la Sécurité Sociale... L'écriture
n'est pas très ferme... Je dirais que c'est celle
d'un homme instable, qui possédait néanmoins
son sang-froid... Vous le connaissez?

— Oui. Je l'ai eu devant moi pendant une
soirée presque entière.

— Vous voulez que je vous donne mes impressions à son sujet?

Et, comme Maigret faisait un signe affirma-
tif :

— C'est un être qui n'a reçu qu'une instruction primaire, mais qui s'est toujours appliqué.
Il est d'une timidité presque maladive, avec

pourtant des sautes d'orgueil. Il s'efforce de se
montrer calme, maître de lui, alors qu'en réalité
c'est un passionné...

— Pas mal !

— Quelque chose se passe avec sa santé... Il
est malade ou se croit malade...

— Et la signature de l'acte de vente?

— C'est bien à cause de cela que je vous ai
demandé s'il buvait. L'écriture est assez différente... Elle est peut-être de la même main
mais, dans ce cas, celui qui a signé était, ou
ivre, ou en proie à une violente émotion... Regardez vous-même... Comparez... Ici, les traits
sont réguliers, bien qu'un peu tremblés, comme
cela arrive pour un homme qui boit mais qui, au
moment où il écrit, n'est pas en état d'ivresse...
Sur l'acte de vente, au contraire, toutes les lettres manquent de fermeté...

— Vous pensez que cela peut être le même
homme?

— Dans le cas que je viens de vous dire,
oui... Sinon, il s'agit d'un faux... Souvent,
dans les faux, on retrouve le même flou, les mêmes indices d'émotion...

— Je vous remercie. Au fait, cette écriture
a-t-elle des points communs avec celle-ci?

Il lui montrait les deux adresses tracées sur
une feuille de papier par Roger Prou quelques
minutes plus tôt. M. Pirouet n'eut besoin que
d'y jeter un coup d'œil.

— Aucun rapport... Je peux vous expliquer...

— Pas maintenant. Merci monsieur Pirouet...

Maigret reprit l'original des documents et descendit vers son étage. Il trouva Prou toujours assis sur sa chaise, Lapointe debout devant la fenêtre.

— Tu peux nous laisser.

— Alors? questionnait l'amant de Renée.

— Rien... Je vous rends l'acte de vente... Je suppose qu'il a été tapé à la machine par Mme Planchon?

— Elle vous l'a dit, non? Il n'y a pas de mystère...

— Son mari était ivre quand il a signé?

— Il savait ce qu'il faisait. Nous ne l'avons pas pris en traître. Cela ne signifie pas qu'il n'avait pas bu quelques petits verres, comme toujours à cette heure-là.

— Votre père a le téléphone? Vous savez son numéro?

Toujours dédaigneux, Prou donna le numéro que le commissaire composait au fur et à mesure.

— Il s'appelle Gustave Prou... N'ayez pas peur de parler fort car il est devenu dur d'oreille...

— Monsieur Gustave Prou... Je m'excuse de vous déranger... Je suis ici avec votre fils... Il m'assure que, dans le courant du mois de décembre, vous lui avez prêté la somme d'un million d'anciens francs... Oui... Je suis avec lui... Comment?... Vous voulez lui parler?

Le vieux aussi était méfiant. Maigret tendit l'appareil à son interlocuteur.

— C'est moi, papa... Tu reconnais ma voix?... Bon! Tu peux répondre aux questions qu'on te posera... Non! Ce n'est qu'une formalité... Je t'expliquerai plus tard... A bientôt, oui... Tout va bien... Oui, il est parti... Pas maintenant.. Je passerai te voir dimanche...

Il rendait le combiné au commissaire.

— Vous pouvez à présent répondre à ma question?... Vous lui avez prêté un million?... Bon!... En billets?... Vous les avez retirés la veille de la banque?... De la caisse d'épargne?... Oui, je vous entends... Votre fils vous a-t-il signé un reçu?... Je vous remercie... Quelqu'un passera chez vous... Simple vérification... Il vous suffira de montrer ce reçu... Un instant... Quel jour était-ce?... La veille de Noël?

Plus que jamais, les yeux de Prou exprimaient une ironie méprisante.

— Je suppose que vous allez appeler mon beau-frère?

— Cela ne presse pas. Je ne doute pas qu'il confirme vos dires...

— Je peux m'en aller?

— A moins que vous ayez une déclaration à faire...

— Quelle déclaration?

— Je l'ignore. Vous pourriez avoir une idée de l'endroit où Planchon est allé en quittant la rue Tholozé. Il n'est pas particulièrement cos-

taud. — En outre, il était ivre. Chargé de deux
grosses valises, il n'a pas dû aller loin...

— C'est vous que cela regarde, non? Ou bien
est-ce à moi aussi de le retrouver?

— Je ne vous en demande pas tant. Simple-
ment, si vous avez une idée, de me la communi-
quer, afin de gagner du temps...

— Pourquoi n'avez-vous pas posé la question
à Planchon lui-même quand vous l'avez vu ou
quand il vous a téléphoné?... Il est mieux placé
que moi pour vous répondre...

— Curieusement, il n'avait aucune intention
de quitter la rue Tholozé.

— Il vous l'a dit?

C'était au tour de Prou d'aller à la pêche.

— Il m'a dit beaucoup de choses.

— Il est venu ici?

Malgré son sang-froid, il laissait percer une
certaine inquiétude. Maigret avait soin de ne pas
répondre, de le regarder de son regard le plus
neutre, comme s'il avait cessé d'attacher de l'importance à cet entretien.

— Une seule chose m'étonne... murmurait cependant le commissaire.

— Quoi?

— Je ne sais pas s'il aimait encore sa femme
ou s'il s'était mis à la haïr...

— Je suppose que cela dépendait des moments.

— Qe voulez-vous dire?

— De son degré d'ivresse... Selon les heures, il n'était pas le même homme... Il nous est arrivé de rester éveillés à l'écouter grommeler dans la pièce voisine en nous demandant s'il ne préparait pas un mauvais coup...

— Quel mauvais coup, par exemple?

— Il faut vous faire un dessin?... Je vais vous avouer autre chose... Je m'arrangeais toujours pour être sur le même chantier que lui, afin de le surveiller... Et si, pendant la journée, il manifestait l'intention de faire un saut rue Tholozé, je l'accompagnais... J'avais peur pour Renée...

— Vous croyez qu'il aurait été capable de la tuer?

— Il lui est arrivé de la menacer...

— De mort?

— Il n'était peut-être pas si précis... Quand il avait bu, il parlait tout seul, en prenant un air entendu... Je ne pourrais pas vous répéter ses mots exacts... C'était toujours un peu incohérent...

» — *Je ne suis qu'un lâche... Bon!... Tout le monde se moque de moi... Mais un jour on s'apercevra que...*

» Vous voyez le genre? A ces moments-là, ses yeux pétillaient de malice. Il faisait celui qui se comprenait. Il lui arrivait d'éclater soudain de rire.

» — *Pauvre Planchon!... Un pauvre petit homme de rien du tout, avec un visage qui dé-*

*goûte les gens... Seulement, le petit homme n'est
peut-être pas si lâche que ça...* »

Maigret écoutait avec attention, la poitrine un
peu serrée, car cela ne paraissait pas inventé. Il
avait vu Planchon boulevard Richard Lenoir, et
l'homme que Prou imitait maintenant avec une
cruelle ironie, le Planchon de la rue Tholozé,
était bien le même personnage, à peine plus
poussé.

— Vous croyez qu'il a vraiment eu l'intention
de tuer sa femme?

— Je suis sûr qu'il y a pensé, que c'était une
idée qui lui revenait régulièrement à un certain
point de son ivresse...

— Et vous?

— Peut-être moi aussi...

— Et sa fille?

— Il n'aurait probablement pas touché à Isabelle... Et encore!... S'il avait pu faire sauter
toute la maison avec une bombe...

Maigret se levait en soupirant, marchait d'un
pas indécis vers la fenêtre.

— La même idée ne vous est jamais venue, à
vous?

— De tuer Renée?

— Pas elle. Lui!

— Cela aurait été certainement la façon la
plus rapide de nous en débarrasser... Mais je
vous prie de croire que, si j'en avais eu l'intention, je n'aurais pas attendu deux ans... Vous

vous imaginez ce qu'ont été ces deux années-là, avec cet homme toujours dans nos jambes?...

— Et pour lui?

— Il aurait dû comprendre plus tôt et s'en aller... Quand une femme ne vous aime pas, quand elle en aime un autre, quand elle vous le déclare franchement, vous savez ce qu'il vous reste à faire...

Il s'était levé aussi. Il avait un peu perdu de son calme; sa voix devenait plus véhémente.

— Il n'empêche qu'il continue à nous empoisonner l'existence, que c'est Renée que vous allez questionner chez elle, que vous convoquez mes ouvriers et que, depuis plus d'une heure, vous essayez de me faire dire je ne sais quoi... Vous avez encore des questions à poser?... Je suis toujours un homme libre?... Je peux m'en aller?...

— Vous pouvez vous en aller...

— Je vous salue...

En sortant, il fit claquer la porte derrière lui.

CHAPITRE

7

CE SOIR-LA, MAI-
gret put regarder la télévision, bien au chaud,
chaussé de pantoufles, avec sa femme qui trico-
tait à son côté, mais il aurait préféré être à la
place de Janvier et de Lapointe qui, dans un
Montmartre qu'il connaissait bien, dans des rues
qui lui étaient familières, allaient, chacun de
son côté, de bistrot en bistrot, d'une lumière
jaunâtre à une lueur plus blanche, d'un décor
vieillot à un décor plus moderne, d'une odeur de
bière à une odeur de calvados.

Il avait été heureux, bien sûr, de monter en
grade, de devenir en fin de compte Monsieur le
Divisionnaire, chef de la brigade criminelle. Il
n'en gardait pas moins la nostalgie de certaines
planques où on grelotte pourtant par les nuits

d'hiver, des loges de concierge aux odeurs différentes qu'on visite pendant des journées entières pour poser sans fin la même question, futile
en apparence.

Ne lui reprochait-on pas, en haut lieu, de quitter trop volontiers son bureau pour se livrer en
personne à un métier de chien de chasse? Comment leur expliquer, surtout aux gens du Parquet, qu'il avait besoin de voir, de renifler, de
s'imprégner d'une atmosphère?

Comme par ironie, on donnait une tragédie de
Corneille. Des rois et des guerriers en costume,
sur le petit écran, déclamaient tour à tour des
vers nobles qui avaient un arrière-goût de collège,
et c'était une curieuse sensation, toutes les demi-
heures, d'être interrompu par la sonnerie du téléphone, d'entendre la voix de Janvier — c'est lui
qui appela le premier — disant avec beaucoup
moins d'emphase :

— Je crois que je tiens la piste, patron... Je
vous appelle d'un bar de la rue Germain-Pilon,
à deux cents mètres de la place des Abbesses...
Cela s'appelle Au Bon Coin... Le patron est déjà
monté se coucher... C'est sa femme qui sert au
comptoir et qui va se rasseoir ensuite près du
poêle... Je n'ai eu qu'à lui parler d'un homme
avec un bec-de-lièvre pour qu'elle se rappelle.

» — Il lui est arrivé quelque chose? m'a-t-elle
demandé.

» Il venait souvent, vers huit heures du soir,
boire un verre ou deux. Il paraît que le chat l'aimait

bien, allait se frotter à ses jambes et qu'il se penchait pour le caresser...

» C'est un petit bar mal éclairé, aux murs sombres... Je ne sais pas pourquoi il reste ouvert le soir, car il y a en tout et pour tout un homme âgé qui boit un grog près de la vitre...

— Elle a revu Planchon depuis lundi?

— Non. Elle est à peu près sûre qu'il est venu lundi pour la dernière fois... En tout cas, hier, elle a fait remarquer à son mari qu'on n'avait pas revu le client au bec-de-lièvre et elle s'est demandé s'il était malade...

— Il ne lui a jamais fait de confidences?

— Il ne parlait à peu près pas. Elle le plaignait, trouvait qu'il avait l'air malheureux et elle essayait de le remonter...

— Continue à chercher...

Janvier allait plonger dans le froid et l'obscurité pour entrer, un peu plus loin, dans un autre café, puis dans un autre. Lapointe, de son côté, faisait de même.

Lui, Maigret, retrouvait sur l'écran les personnages de Corneille et, dans un fauteuil, sa femme qui le regardait d'un air interrogateur.

A neuf heures et demie, c'était le tour de Lapointe de l'appeler. Il téléphonait de la rue Lepic, d'un autre bar, plus grand, plus clair, où des habitués jouaient aux cartes et où se retrouvait la trace de Planchon.

— Toujours du cognac, patron!... Ici, on savait qui il était et qu'il habitait rue Tholozé, parce qu'on l'avait vu, dans la journée, passer au volant de la camionnette qui portait son nom en grosses lettres... On le plaignait... Quand il arrivait, il était déjà à moitié ivre... Il n'adressait la parole à personne... Un des joueurs de belote se souvient que c'est lundi qu'il est venu pour la dernière fois... Il a mangé deux œufs durs, qu'il a pris dans le support en fil de fer placé sur le comptoir...

Janvier avait dû choisir un mauvais itinéraire, car il téléphonait bientôt qu'il avait fait en vain cinq bistrots où l'homme au bec-de-lièvre était inconnu.

Des chanteurs et des chanteuses, sur l'écran, avaient remplacé les héros cornéliens quand, vers onze heures, Lapointe appela pour la seconde fois. Il paraissait excité.

— J'ai du nouveau, patron... Je me demande si nous ne ferions pas bien de nous retrouver Quai des Orfèvres... Il y a une femme que je surveille par la porte de la cabine par crainte de la voir filer...

» Je suis dans une brasserie de la place Blanche... la terrasse est vitrée, chauffée par deux braseros... Vous êtes toujours à l'appareil?... »

— Je t'écoute...

— Le premier garçon à qui je me suis adressé connaît bien Planchon de vue... Il paraît qu'il venait toujours assez tard dans la soirée et que, le plus souvent, il n'était guère solide sur ses jam-

bes... Il s'asseyait à la terrasse et commandait
de la bière...

— Sans doute pour chasser tous les cognacs
qu'il avait bus ailleurs?

— Je ne sais pas si vous connaissez l'endroit...
Deux ou trois femmes se tiennent en permanence
à la terrasse et suivent les passants des yeux...
Elles travaillent surtout à la sortie du cinéma
voisin...

» Le garçon m'en a désigné une.

» — Tenez ! Adressez-vous à Clémentine...
C'est son nom... Elle pourra vous en dire plus
long que moi... Je les ai vus plusieurs fois s'éloigner ensemble...

» Elle a tout de suite deviné que j'étais de la
police et, au début, elle ne voulait rien admettre.

» — Qu'est-ce qu'il a fait? se contentait-elle
de questionner. Pourquoi le recherchez-vous?
Pourquoi voudriez-vous que je le connaisse?...

» Petit à petit, elle s'est mise à parler et je
crois que ce qu'elle m'a dit vous intéressera... Je
pense même qu'il serait bon de prendre sa déposition par écrit tant qu'elle est bien disposée...
Qu'est-ce que je fais?...

— Tu l'emmènes à la P.J. J'y serai à peu
près en même temps que toi...

Mme Maigret, résignée, allait déjà lui chercher
ses souliers.

— Tu veux que j'appelle un taxi?

— Oui...

Il endossait son manteau, n'oubliait pas son

écharpe. Il venait de prendre un grog, car il se
sentait toujours à la veille d'une bonne grippe.

Quai des Orfèvres, il salua le factionnaire so-
litaire, gravit le large escalier grisâtre et mal
éclairé, trouva le couloir vide, alluma dans son
bureau, poussa la porte du bureau des inspecteurs.
Lapointe y était, le chapeau encore sur la tête,
et une femme se leva de la chaise sur laquelle
elle était assise.

A la même heure, aux quatre coins de Paris,
des centaines de personnes qui lui ressemblaient
comme des sœurs battaient la semelle dans
l'ombre, non loin d'hôtels meublés à la porte discrètement entrouverte.

Elle portait des talons aiguille d'une hauteur
démesurée et ses jambes étaient maigres, toute
la moitié inférieure de son corps était longue et
mince. Ce n'est qu'à partir des hanches qu'elle
s'épaississait et la disproportion était d'autant
plus frappante qu'elle avait sur le dos un manteau court fait d'une fourrure à longs poils qui
ressemblait à une peau de bique.

Le visage était rose bonbon, les cils charbon-
neux comme ceux d'une poupée.

— Mademoiselle a bien voulu me suivre... disait gentiment Lapointe.

Et elle répliquait avec une ironie sans méchan-
ceté :

— Comme si vous ne m'auriez pas embarquée
quand même !...

Elle paraissait impressionnée par le commissaire, qu'elle regardait de la tête aux pieds.

Il se débarrassait de son pardessus et lui faisait signe de se rasseoir. Lapointe s'était installé devant une machine à écrire, prêt à taper
la déposition.

— Comment vous appelez-vous?

— Antoinette Lesourd... Le plus souvent, je
me fais appeler Sylvie... Antoinette, cela fait
vieux... C'est le nom de ma grand-mère et...

— Vous connaissiez Planchon?

— Je ne savais pas son nom... Il venait presque chaque soir à la brasserie et il avait toujours
du vent dans les voiles... J'ai pensé, au début,
que c'était un veuf qui noyait son chagrin... Il
avait l'air si malheureux...

— C'est lui qui vous a adressé la parole?

— Non. C'est moi... Et j'ai bien cru, la première fois, qu'il allait se sauver... Alors, je lui
ai dit :

» — Moi aussi, j'ai eu des chagrins... Je sais
ce que c'est... J'ai été mariée à un propre-à-
rien qui est parti un beau matin avec ma fille...

» C'est quand je lui ai parlé de ma fille qu'il
s'est soudain amadoué...

Et, tournée vers Lapointe :

— Vous n'allez pas écrire tout ça?

— Seulement l'essentiel, intervint Maigret.
Depuis combien de temps avez-vous fait connaissance?

— Des mois... Attendez... L'été, je suis allée

travailler à Cannes, où il y avait la flotte améri-
caine... Je suis revenue en septembre... J'ai dû
le rencontrer vers le début d'octobre...

— Il vous a suivie le premier soir?

— Non. Il m'a payé un verre... Puis il m'a
dit qu'il devait rentrer chez lui, qu'il se levait
de bonne heure à cause de son travail et qu'il
était tard... Ce n'est que deux ou trois jours
après qu'il m'a suivie...

— Chez vous?

Je ne reçois jamais chez moi. D'ailleurs, la
concierge ne le permettrait pas. C'est une maison convenable. Il y a même un juge qui habite
au premier... Je vais, d'habitude, dans un meublé de la rue Lepic... Vous connaissez?... Surtout, n'allez pas leur faire des ennuis... Avec tous
les nouveaux règlements, on ne sait jamais où
on en est...

— Planchon vous a souvent accompagnée?

— Pas souvent... Peut-être une dizaine de fois
en tout?... Et encore, il lui est arrivé de ne rien
faire...

— Il parlait?

— Une fois, il m'a dit :

» — Vous voyez! c'est eux qui ont raison...
Je ne suis même pas un homme... »

— Il ne vous donnait aucun détail sur sa vie?

— J'avais remarqué son alliance, bien sûr...
Un soir, je lui ai demandé :

» — C'est ta femme qui te fait des misères?

» Et il m'a répondu que sa femme n'avait pas

mérité de tomber sur un homme comme lui...

— Quand l'avez-vous vu pour la dernière fois?

Au coup d'œil de Lapointe, toujours à la machine, Maigret comprit qu'il en était arrivé au point intéressant.

— Lundi soir...

— Comment pouvez-vous être sûr que c'était lundi?

— Parce que, le lendemain, je me suis fait embarquer et que j'ai passé vingt-quatre heures au Dépôt... Vous pouvez le demander à vos collègues... Mon nom doit être inscrit sur la liste... Ils ont emmené un plein panier à salade...

— Quelle heure était-il, lundi, quand il est arrivé à la brasserie?

— Il n'était pas tout à fait dix heures... Je venais juste de sortir car, à Montmartre, cela ne sert à rien de commencer tôt...

— Dans quel état était-il?

— Il tenait à peine debout... J'ai vu tout de suite qu'il avait bu plus que d'habitude... Il est venu s'asseoir à côté de moi, sur la terrasse, près du brasero... Il ne parvenait pas à lever le bras pour appeler le garçon et il a balbutié :

» — Un cognac... Un cognac pour madame aussi...

» Nous nous sommes presque disputés... Je ne voulais pas qu'il boive d'alcool, dans l'état où il était, mais il tenait à son idée...

» — Je suis malade... qu'il disait. Il n'y a qu'un grand cognac pour me remettre...

— Il n'a rien dit d'autre qui vous ait frappée?

Nouveau coup d'œil de Lapointe.

— Si... Une petite phrase que je n'ai pas comprise... Il a répété deux ou trois fois :

» — Lui non plus ne veut pas me croire... »

— Il ne s'est pas expliqué?

— Il grommelait :

» — T'en fais pas... Je me comprends... Et toi aussi, un jour, tu comprendras... »

Maigret se souvenait du ton sur lequel Planchon, le même lundi, quelques heures avant cette scène, lui avait dit au téléphone, alors qu'il se trouvait encore place des Abbesses :

» — Je vous remercie... »

Il n'y avait pas seulement senti de l'amertume, du désenchantement, mais comme une menace.

— Vous êtes allés ensemble à l'hôtel?

— Il le voulait... Mais, quand nous nous sommes trouvés dehors, il s'est étalé de tout son long sur le trottoir... Je l'ai aidé à se relever... Il était humilié...

» — Je leur montrerai que je suis un homme... gémissait-il.

» J'étais obligée de le soutenir. Je savais que le patron du meublé ne le laisserait pas entrer dans cet état et je n'avais pas envie non plus qu'il soit malade dans la chambre.

» — Où est-ce que tu habites? lui ai-je demandé.

» — Là-haut...

» — Où ça, là-haut?

» — Rue Tho... Rue Tho...

» C'est à peine s'il pouvait encore articuler.

» — Rue Tholozé?

» — Oui... Tout en... Tout en...

» Ce n'est pas toujours drôle, je vous assure!... J'avais peur qu'un agent nous repère et se figure que j'avais l'intention de l'entôler... On aurait sûrement prétendu que c'était moi qui l'avais fait boire... Je ne veux pas dire du mal de la police, mais vous avouerez que quelquefois...

— Continuez... Vous avez appelé un taxi?

— Quand même pas!... J'étais raide... Je l'ai aidé à marcher... Nous avons mis près d'une demi-heure à atteindre le haut de la rue Tholozé, car il s'arrêtait sans cesse, les jambes flageolantes, et il me répétait, devant chaque bistrot, qu'un grand cognac le remettrait d'aplomb... Il a fini par s'arrêter devant une grille et, là, il est tombé une fois de plus... La grille n'était pas fermée... Il y avait une camionnette dans la cour, avec, dessus, un nom que je n'ai pas pu lire dans l'obscurité... Je ne l'ai lâché qu'à la porte...

— Les fenêtres étaient-elles éclairées?

— De la lumière filtrait à travers les persiennes du rez-de-chaussée. Je l'ai plaqué contre le mur, en espérant qu'il tiendrait debout assez longtemps, j'ai sonné et je suis partie en courant...

Pendant tout le temps qu'elle parlait, on avait entendu le cliquetis de la machine.

— Il lui est arrivé quelque chose?

— Il a disparu.

— J'espère qu'on ne va pas s'imaginer que c'est moi?

— Tranquillisez-vous...

— Vous croyez qu'on va me convoquer chez le juge?

— J'espère que non... Et, si cela était, vous n'auriez rien à craindre...

Lapointe avait retiré la feuille de la machine à écrire et la tendait à la femme.

— Je dois lire?

— Et signer.

— Cela ne m'attirera pas d'ennuis?

Elle finit par écrire son nom d'une grande écriture maladroite.

— Qu'est-ce que je fais, maintenant?

— Vous êtes libre...

— Vous croyez que je trouverai encore un autobus?

Maigret prit un billet dans sa poche.

— Voici de quoi prendre un taxi...

Elle était à peine partie que le téléphone sonnait. C'était Janvier, qui avait appelé le boulevard Richard-Lenoir et à qui Mme Maigret avait appris que son mari était au Quai des Orfèvres.

— Plus rien, patron... J'ai fait le boulevard

Rochechouart jusqu'à la place d'Anvers... J'ai
remonté dix petites rues...

— Tu peux aller te coucher.

— Lapointe a trouvé quelque chose?

— Oui. On t'en parlera demain...

Maigret, en rentrant chez lui, n'avait qu'une
peur : celle de se réveiller avec de la fièvre. Il
ressentait toujours un chatouillement désagréa-
ble dans les narines et il avait l'impression que
ses paupières étaient brûlantes. En outre, sa
pipe ne retrouvait pas son goût habituel.

Sa femme lui prépara encore un grog. Il
transpira toute la nuit. A neuf heures du matin,
il était assis, la tête un peu vide, dans l'antichambre du Parquet, où il attendit vingt bonnes
minutes l'arrivée du substitut.

Le commissaire devait avoir l'air sombre, car
le magistrat questionna :

— Alors, le type que vous avez convoqué
vous fait des ennuis?

— Non, mais il y a du nouveau.

— On a retrouvé votre entrepreneur de peinture? Comment s'appelle-t-il encore?

— Planchon... On ne l'a pas retrouvé... Nous
avons pu reconstituer son emploi du temps pendant la soirée de lundi... Quand il est entré chez
lui, un peu avant onze heures du soir, il était tellement ivre qu'il ne tenait plus sur ses jambes
et qu'il est tombé plusieurs fois sur le trottoir
entre la place Blanche, où il a bu un dernier
verre, et la rue Tholozé...

— Il était seul?

— Une fille publique, avec qui il a eu plusieurs fois des rapports, le soutenait...

— Vous la croyez?

— Je suis certain qu'elle dit la vérité... C'est elle qui a sonné à la porte du pavillon avant de s'éloigner, laissant Planchon en équilibre plus ou moins stable contre le mur... Il est impossible que le même homme, quelques minutes plus tard, soit monté au premier étage, ait rempli deux grosses valises de ses effets, soit redescendu en les portant pour s'éloigner enfin dans la rue...

— Il pourrait avoir pris quelque chose pour se dégriser... Il existe des médicaments...

— Sa femme et Prou en auraient parlé...

— Prou, c'est l'amant, n'est-ce pas?... C'est celui que vous avez convoqué?... Qu'est-ce qu'il dit?

Lourd et patient, le sang toujours à la tête, Maigret raconta en détail l'histoire des trois millions et des reçus. Il y avait d'abord le reçu signé Planchon.

— M. Pirouet, notre expert en écriture, n'est pas formel. Selon lui, le papier peut avoir été signé par un Planchon en état d'ivresse, mais le résultat serait semblable si la signature avait été imitée par une autre personne...

— Pourquoi parlez-vous de plusieurs reçus?

— Parce que, dès le 24 décembre, Prou a emprunté deux millions d'anciens francs, un à son père, un autre à son beau-frère... Un de mes hommes est allé photographier ces reçus... Celui qui est dans les mains du beau-frère porte que la somme doit être remboursée en cinq ans et que Prou payera six pour cent d'intérêt... Celui du père, par contre, prévoit le remboursement dans les deux ans et ne mentionne pas d'intérêts...

— Vous pensez que ce sont des reçus de complaisance?

— Non!... Mes collaborateurs ont vérifié. Le 23 décembre, la veille du versement, le père Prou a retiré un million, en billets de banque, de son compte à la caisse d'épargne, où il possède un peu plus de deux millions... Quant au beau-frère, Mourier, il a, le même jour, retiré la même somme de son compte de chèques-postaux...

— Il me semblait que vous aviez parlé de trois millions?

— Le troisième million a été retiré, par Roger Prou, de son compte en banque, au Crédit Lyonnais... Il y avait donc bien, à cette date, trois millions d'anciens francs en numéraire dans le pavillon de la rue Tholozé...

— A quelle date l'acte de cession a-t-il été signé?

— Le 29 décembre... Tout se passe comme si Prou et sa maîtresse avaient pris leurs dispositions, dès avant Noël, en attendant une occasion de faire signer l'acte par le mari...

— Je ne vois pas, dans ce cas...

Comme pour ajouter à la difficulté, Maigret ajoutait :

— M. Pirouet a analysé l'encre de la signature... Sans pouvoir fixer une date précise, il a la certitude qu'elle remonte à plus de deux semaines...

— Quelle est votre intention? Vous laissez tomber?

— Je suis venu vous demander un mandat de perquisition.

— Après ce que vous venez de me dire?

Maigret, pas très fier, faisait oui de la tête.

— Que comptez-vous trouver dans la maison? Le cadavre de votre Planchon?

— Ce n'est guère probable.

— Les billets de banque?

— Je ne sais pas...

— Vous y tenez vraiment?

— Planchon n'était plus capable de marcher, lundi à onze heures du soir...

— Attendez-moi un instant... Je ne peux pas prendre cela sur moi... Je vais en toucher deux mots au procureur...

Maigret resta seul pendant une dizaine de minutes.

— Cela ne l'enchante pas plus que moi, surtout en ce moment où la police n'a déjà pas bonne presse... Enfin !...

C'était oui quand même et, quelques instants plus tard, le commissaire emportait le mandat

signé. Il était dix heures moins dix. Il ouvrit brusquement le bureau des inspecteurs, ne vit pas Lapointe, aperçut Janvier.

— Prends une voiture dans la cour... Je des-
cends tout de suite...

Puis il appelait au téléphone le service de
l'Identité Judiciaire, donnait des instructions à
Moers.

— Qu'ils soient là le plus vite possible... Et
choisis les meilleurs...

Il descendit à son tour, prit place à côté de
Janvier dans la petite auto noire.

— Rue Tholozé.

— Vous avez obtenu le mandat?

— Je le leur ai arraché... J'aime autant ne
pas penser à ce qui m'attend si on ne trouve
rien et si la femme ou son amant se mettent à
faire du foin...

Il était tellement enfoncé dans ses pensées que
c'est à peine s'il remarqua que, pour la première
fois depuis plusieurs jours, le soleil venait d'ap-
paraître. Janvier parlait, tout en se faufilant entre les autobus et les taxis.

— En principe, ces gens-là ne travaillent pas
le samedi... Je crois que c'est interdit par les
syndicats, à moins de payer les heures au prix
double... Il y a des chances pour que nous trou-
vions Prou chez lui...

Il n'y était pas. C'est Renée qui vint ouvrir
après les avoir observés par une fenêtre et elle

était plus méfiante, plus maussade que jamais.

— Encore ! s'exclama-t-elle.

— Prou n'est pas ici ?

— Il est allé finir un travail urgent... Qu'est-ce que vous voulez, cette fois ?

Maigret tira le mandat de sa poche, le lui donna à lire.

— Vous allez fouiller la maison ?... Ça, alors, c'est plus fort que tout...

Une camionnette de l'Identité Judiciaire, bourrée d'hommes et d'appareils, pénétrait dans la cour.

— Et ceux-là, qu'est-ce que c'est ?

— Mes collaborateurs... Je suis désolé, mais nous en avons pour un certain temps...

— Vous allez mettre du désordre ?

— Je le crains.

— Vous êtes sûr que vous en avez le droit ?

— Le mandat est signé du substitut.

Elle haussa les épaules.

— Cela m'avance bien ! Je ne sais même pas ce que c'est qu'un substitut !...

Elle les laissait pourtant entrer, les suivant les uns et les autres d'un regard sombre.

— J'espère que ce sera fini quand ma fille reviendra de l'école ?

— Cela dépend...

— De quoi ?

— De ce que nous trouverons.

— Si seulement vous me disiez ce que vous cherchez ?

— Votre mari, lundi soir, est bien parti avec deux valises, n'est-ce pas?

— C'est moi qui vous en ai parlé.

— Je suppose qu'il emportait les trois millions que Prou lui a versés le 29 décembre?

— Je n'en sais rien. On lui a remis l'argent et nous n'avions pas à nous occuper de ce qu'il en ferait...

— Il ne les a pas versés à son compte en banque.

— Vous avez vérifié?

— Oui... Vous avez dit vous-même qu'il n'avait pas d'amis... Il est donc improbable qu'il ait confié cette somme à quelqu'un...

— Où voulez-vous en venir?

— Depuis le 29 décembre, il ne promenait pas cette somme avec lui toute la journée... Cela fait un assez gros paquet, trois millions...

— Et alors?

— Rien...

— C'est ça que vous cherchez?

— Je ne sais pas...

Les spécialistes s'étaient déjà mis au travail, commençant par la cuisine. C'était une tâche à laquelle ils étaient habitués et ils l'accomplissaient avec méthode, ne laissant aucun coin inexploré, cherchant aussi bien dans les boîtes en fer qui contenaient de la farine, du sucre ou du café que dans les poubelles.

C'était fait avec tant d'aisance que cela ressemblait à une sorte de ballet et que la femme

les regardait avec un étonnement presque émer-
veillé.

— Qui est-ce qui remettra tout en ordre?

Maigret ne répondit pas.

— Je peux donner un coup de téléphone?
questionna-t-elle.

Elle appelait un appartement de la rue Lamark, une certaine Mme Fajon, et lui demandait de parler au peintre qui travaillait chez
elle.

— C'est toi?... Ils sont revenus... Le commissaire, oui, avec des tas de gens qui mettent
tout sens dessus dessous dans la maison... Il y
en a même un qui prend des photographies...
Non! Il paraît qu'ils ont un mandat... Ils m'ont
montré un papier soi-disant signé par un substitut... Oui... J'aimerais mieux que tu rentres...

Elle regardait Maigret d'un œil noir qui ex-
primait toujours une sorte de défi.

Un des hommes grattait des taches sur le parquet de la salle à manger et recueillait dans de
petits sachets, la poussière obtenue.

— Qu'est-ce qu'il fait, celui-là? Il trouve que
mon plancher n'est pas assez propre?

Un autre, à l'aide d'un marteau de tapissier,
frappait des coups sur les murs, et les photographies, les reproductions de tableaux étaient dé-
crochées les unes après les autres puis remises
en place plus ou moins de travers.

Deux hommes étaient montés au premier
étage où on les entendait aller et venir.

— Ils vont en faire autant chez ma fille?

— Je le crains.

— Qu'est-ce que je lui dirai, à Isabelle, quand elle rentrera?

Ce fut la seule fois que Maigret plaisanta :

— Que nous avons joué à la chasse au trésor... Vous n'avez pas la télévision?

— Non... On devait en acheter une le mois prochain...

— Pourquoi dites-vous *devait*?

— Devait, doit, c'est la même chose, non?... Si vous croyez que j'ai encore la tête à choisir mes mots...

Elle avait reconnu Janvier, évidemment !

— Quand je pense que celui-là est venu mesurer toutes les pièces de la maison sous je ne sais même plus quel prétexte...

On entendit une auto qui entrait dans la cour, une portière qui claquait, des pas rapides. Renée dut reconnaître ceux-ci car elle se dirigea tout de suite vers la porte.

— Regarde !... disait-elle à Roger Prou. Ils sont en train de tout fouiller, y compris mes casseroles et mon linge... Il y en a, là-haut, dans la chambre de la petite...

Les lèvres de Prou frémissaient de colère cependant qu'il toisait le commissaire.

— Vous avez le droit de faire ça? questionna-t-il, la voix tremblante.

Maigret lui tendait le mandat.

— Et si je téléphonais à un avocat?

— C'est votre droit. Il ne pourra qu'assister à
la perquisition.

Vers midi, il y eut un cliquetis de la boîte
aux lettres et, par la fenêtre, Maigret vit que
c'était Isabelle qui rentrait. Sa mère se préci-
pita et s'enferma avec elle dans la cuisine, où
les hommes de l'Identité Judiciaire avaient terminé leur travail.

Sans doute, en questionnant la gamine, au-
rait-on pu apprendre des choses intéressantes
mais, sauf en cas de stricte nécessité, Maigret
répugnait à interroger les enfants.

Le bureau avait été fouillé sans résultat. Une
partie des hommes se dirigeait vers la remise,
au fond de la cour, et l'un d'entre eux grimpait
dans la camionnette.

C'était du travail au peigne fin, accompli par
des gens qui en avaient une longue habitude.

— Vous voulez monter, monsieur le commissaire?

Prou, qui avait entendu aussi, suivait Maigret
dans l'escalier.

Une chambre d'enfant, où un ours en peluche
se trouvait encore sur le lit, donnait l'impression d'une maison en déménagement. L'armoire
à glace avait été poussée dans un coin. Aucun
meuble n'était à sa place et on avait soulevé le
linoléum rougeâtre qui recouvrait le plancher.

Une des lames de bois avait été déclouée.

— Regardez ici...

Ce que Maigret regarda d'abord, c'est le visage de Prou, debout dans l'encadrement de la porte. Ce visage était devenu si dur que le commissaire cria à tout hasard :

— Attention, en bas...

Mais Prou ne bondit pas, comme on pouvait s'y attendre. Il ne s'avança pas non plus dans la pièce, n'éprouva pas le besoin de se pencher sur le trou dans le plancher, au fond duquel on voyait un paquet enveloppé de papier journal.

On ne toucha à rien avant l'arrivée du photographe. Puis il y eut, sur les planches grisâtres, le relevé des empreintes digitales.

Enfin Maigret put se courber, saisir le paquet et l'ouvrir. On vit des liasses de billets de dix mille francs, trois liasses, chacune de cent billets, et ceux d'une des liasses étaient neufs et craquants.

— Vous avez quelque chose à dire, Prou?

— Je ne suis au courant de rien.

— Ce n'est pas vous qui avez placé l'argent dans cette cachette?

— Pourquoi l'aurais-je fait?

— Vous prétendez toujours que, lundi soir, votre ancien patron est parti d'ici avec deux valises qui contenaient ses effets, sans toutefois emporter les trois millions?

— Je n'ai rien à ajouter.

— Ce n'est pas vous qui avez soulevé le linoléum, décloué une lame du parquet et caché les billets de dix mille francs?

— Je ne sais rien de plus que ce que je vous ai dit hier.

— Ce n'est pas votre maîtresse?

Il y eut comme une hésitation dans ses yeux.

— Ce qu'elle a pu faire ou ne pas faire ne me regarde pas.

8

CE QU'ELLE A
pu faire ou ne pas faire ne me regarde pas...

Cette phrase-là, le ton sur lequel elle était pro-
noncée, le regard qui l'accompagnait ne devait
pas sortir de la mémoire de Maigret dans les mois
qui suivirent.

Ce samedi-là, il y eut de la lumière, Quai des
Orfèvres, jusqu'aux petites heures du matin. Le
commissaire avait pris ses précautions et con-
seillé aux deux amants de désigner chacun un
avocat. Comme ils n'en connaissaient pas, on leur
avait fourni une liste des membres du Barreau et
ils avaient choisi au petit bonheur.

Ainsi donc, les règles avaient été strictement
observées. Un des avocats, celui de Renée, était
jeune et blond et, comme malgré elle, elle s'était
prise aussitôt à lui faire du charme. Celui de

Prou, au contraire, était un avocat d'un certain âge, à la cravate mal nouée, au linge douteux, aux ongles noirs, qu'on voyait chasser le client des journées entières dans les couloirs du Palais.

Dix fois, vingt fois, cent fois Maigret répéta les mêmes questions, tantôt à Renée Planchon seule, tantôt à Prou, tantôt eux deux à la fois.

Au début, quand ils étaient mis face à face, ils semblaient se consulter du regard. Puis, à mesure que les interrogatoires se poursuivaient, à mesure qu'on les séparait pendant un certain temps pour les rassembler à nouveau, les regards devenaient plus méfiants.

Lorsqu'il les avait vus pour la première fois, Maigret avait pensé, non sans une certaine admiration, à un couple de fauves.

Le couple n'existait plus. Il restait deux fauves, et on sentait le moment proche où ils auraient envie de s'entredéchirer.

— Qui a frappé votre mari?

— Je n'en sais rien. J'ignore si on l'a frappé. Je suis montée avant qu'il parte...

— Vous m'aviez dit...

— Je ne sais plus ce que j'ai dit... Vous m'avez embrouillée avec vos questions...

— Vous saviez que les trois millions étaient dans la chambre de votre fille?

— Non.

— Vous n'avez pas entendu votre amant déplacer les meubles, soulever le linoléum, déclouer une lame du parquet?

— Je ne suis pas tout le temps à la maison...
Je vous répète que je ne sais rien... Vous pouvez
me questionner aussi longtemps que vous vou-
drez, je n'ai rien d'autre à dire...

— Vous n'avez pas entendu non plus la camionnette sortir de la cour, la nuit de lundi à
mardi?

— Non.

— Pourtant, des voisins l'ont entendue.

— Tant mieux pour eux.

Ce n'était pas vrai. Maigret s'était servi d'une
ruse assez grossière. La concierge de l'immeuble voisin n'avait rien entendu. Il est vrai que
sa loge était du côté opposé à la cour. On avait
questionné les locataires sans résultat.

Quant à Prou, il répétait obstinément ce qu'il
avait dit au commissaire lors de son premier interrogatoire Quai des Orfèvres.

— J'étais couché quand il est rentré... Renée
s'est levée et est passée dans la salle à manger... Je les ai entendus parler assez longtemps...
Quelqu'un est monté au premier étage...

— Vous n'étiez pas à écouter derrière la porte?

— Si je vous l'ai dit, c'est que c'est vrai...

— Vous entendiez tout ce qui se passait à côté?

— Pas très bien...

— Votre maîtresse aurait pu assommer Planchon sans que vous le sachiez?

— Je me suis recouché et je me suis rendormi
tout de suite.

— Avant le départ de votre ancien patron?

— Je n'en sais rien...

— Vous n'avez pas entendu la porte de la cour se refermer?

— Je n'ai rien entendu...

Les avocats approuvaient, chacun adoptant l'attitude de son client. A cinq heures du matin, Prou et sa maîtresse étaient conduits séparément au Dépôt. Quant à Maigret, il ne resta qu'une heure dans son lit, but cinq ou six tasses de café noir avant de se diriger une fois de plus vers les bureaux, trop solennels à son goût, du Parquet. Cette fois, bien qu'on fût dimanche, il eut droit à une entrevue avec le procureur en personne et il resta près de deux heures enfermé avec lui.

— On n'a toujours pas retrouvé le corps?

— Non.

— Pas de traces de sang dans la maison ou dans la camionnette?

— Pas jusqu'à présent.

Faute de cadavre, il n'était pas encore possible d'inculper le couple de meurtre. Restaient les billets qui, le reçu en faisait foi, appartenaient à Planchon et qui n'avaient aucune raison de se trouver sous le plancher d'Isabelle.

Celle-ci avait été conduite dans un home d'enfants.

Maigret eut encore droit à trois heures d'interrogatoire, le lundi matin, toujours en présence des avocats, après quoi un juge d'instruction prit

l'affaire en main. C'étaient les nouvelles métho-
des, auxquelles il fallait bien se résigner.

Est-ce que le magistrat était plus heureux que
lui? Il l'ignorait, car on ne se donnait pas la
peine de le tenir au courant.

Ce n'est qu'une semaine plus tard qu'un corps
fut retiré de la Seine au barrage de Suresnes.
Une dizaine de personnes, en particulier les propriétaires des bars de Montmartre que Planchon
fréquentait chaque soir et la fille qui se faisait
appeler Sylvie l'identifièrent.

Quant à Prou et à Renée, amenés séparément
devant le cadavre décomposé, ils ne desserrèrent
pas les dents.

Selon le médecin légiste, Planchon avait été tué
de plusieurs coups portés sur la tête avec un ins-
trument lourd probablement enveloppé de tissu.

On l'avait ensuite ficelé dans un sac et il devait y avoir plus tard une bataille d'experts au
sujet de ce sac et de la corde qui le fermait. Dans
la remise au fond de la cour, en effet, on avait
retrouvé des sacs semblables, ainsi que de la corde
qui servait à maintenir les échelles, qui parais-
saient de compositions identiques.

De tout cela, Maigret n'eut pas connaissance
pendant plusieurs mois. Le printemps eut le
temps de faire fleurir les marronniers. On sortit
en veston. On identifia un jeune Anglais comme
le voleur de bijoux des grands hôtels et Interpol
retrouva sa trace en Australie tandis que certai-

nes pierres desserties étaient récupérées en Italie.

L'affaire Planchon ne vint aux assises que peu de jours avant les vacances judiciaires et Maigret se retrouva, avec un certain nombre de personnes connues et inconnues de lui, enfermé dans la salle des témoins.

Quand ce fut son tour de s'avancer à la barre, il comprit, au premier coup d'œil lancé vers les accusés, que la passion de Renée Planchon et de Prou s'était petit à petit transformée en haine.

Chacun se défendait pour son compte, quitte à laisser peser les soupçons sur l'autre. L'œil dur, méchant, ils s'épiaient.

— Vous jurez de dire la vérité, toute la vérité, rien que la vérité?...

Il refaisait le geste de la main qu'il avait fait tant de fois dans la même enceinte.

— Je le jure!

— Dites aux jurés ce que vous savez de cette affaire.

A ce moment-là encore, les deux accusés l'observaient avec ressentiment. N'était-ce pas lui qui avait déclenché l'enquête et ne lui devaient-ils pas leur arrestation?

Il était évident que le coup avait été prémédité, monté de longue date. Prou n'avait-il pas eu l'astuce d'emprunter deux millions, dès le 24 décembre, à son père et à son beau-frère?

N'était-il pas naturel de racheter, à un ivrogne

devenu incapable, l'affaire dans laquelle il travaillait?

Ces reçus-là étaient authentiques. L'argent avait bel et bien été versé.

Mais Planchon n'en avait jamais rien su. Il ignorait ce qui se tramait dans sa propre maison. S'il sentait qu'on voulait l'évincer il n'imaginait pas que l'opération était déjà commencée, ni que, le 29 décembre, ou en tout cas vers cette époque, sa femme tapait un faux acte de cession au bas duquel on imitait sa signature.

Qui? Renée ou son amant?

De cela aussi, les experts allaient discuter à perdre haleine et il y aurait même, entre deux, des paroles aigres-douces.

— Le samedi soir... commençait Maigret.

— Parlez plus fort.

— Le samedi soir, lorsque je suis rentré chez moi, vers sept heures, j'ai trouvé un homme qui m'attendait.

— Vous le connaissiez?

— Je ne le connaissais pas, mais j'ai deviné tout de suite qui il était à cause de son bec-de-lièvre... Depuis près de deux mois, en effet, un homme répondant à son signalement venait me demander, au Quai des Orfèvres, le samedi après-midi, mais disparaissait avant que j'aie eu l'occasion de le recevoir...

— Vous reconnaissez formellement qu'il s'agit de Léonard Planchon?

— Oui.

— Que vous voulait-il?

Faisant face aux jurés, le commissaire tournait le dos aux deux accusés, de sorte qu'il ne vit pas leurs réactions.

Ne furent-ils pas stupéfaits en constatant que, contre leur attente, il venait apporter de l'eau à leur moulin?

Dans un silence total, suivi d'une rumeur telle que le président dut menacer de faire évacuer le prétoire, Maigret prononça distinctement :

— Il venait me faire part de son intention de tuer sa femme et l'amant de celle-ci...

Il avait envie, mentalement, d'en demander pardon au pauvre Planchon. Mais n'avait-il pas juré, quelques instants plus tôt, de dire la vérité, toute la vérité, rien que la vérité?

Le calme rétabli, il put répondre aux questions précises du président et, sa déposition terminée, il n'eut guère le loisir de traîner dans la salle, car on venait lui annoncer la découverte d'un crime dans un appartement luxueux de la rue Lauriston.

Il n'y eut pas d'aveux. Les charges n'en étaient pas moins assez accablantes pour que le jury réponde par l'affirmative à la première question.

Ironiquement, c'est la déposition de Maigret qui sauva la tête de Roger Prou et lui valut les circonstances atténuantes.

— Vous avez entendu la déposition du commissaire... avait plaidé l'avocat. C'était l'un ou l'autre... Même si mon client a tué, il était en quelque sorte en état de légitime défense...

Antoinette, la fille aux longues jambes et aux hanches épaisses qui se faisait appeler Sylvie, était dans la salle quand le chef du jury vint donner lecture du verdict.

Vingt ans pour Roger Prou, Huit ans pour Renée Planchon, qui regarda son ancien amant avec tant de haine qu'un frisson passa dans l'assistance.

— Vous avez lu, patron ?

Janvier montrait à Maigret un journal dont l'encre était encore fraîche et qui annonçait le verdict en première page.

Le commissaire ne fit qu'y jeter un coup d'œil et se contenta de grommeler :

— Pauvre type !

N'avait-il pas un peu l'impression d'avoir trahi l'homme au bec-de-lièvre dont les dernières paroles, au téléphone, avaient pourtant été :

— *Je vous remercie...*

FIN

Noland, le 27 février 1962.

OUVRAGES DE GEORGES SIMENON

AUX PRESSES DE LA CITÉ (suite)

« TRIO »

PRESSES POCKET

A LA N.R.F.

ÉDITION COLLECTIVE SOUS COUVERTURE VERTE

SÉRIE POURPRE

Achevé d'imprimer le 26 septembre 1977
sur les presses de l'Imprimerie Bussière
à Saint-Amand (Cher)

— N° d'édit. 1665. — N° d'imp. 1077. —
Dépôt légal : 4e trimestre 1962.
Imprimé en France